文春文庫

春の高瀬舟

御宿かわせみ24

平岩弓枝

文藝春秋

目次

春の高瀬舟

花《はな》の雨《あめ》

一

神林東吾《かみばやしとうご》が八丁堀組屋敷内にある剣道場の稽古をすませて出て来ると、亀島川のみえる町角のところに畝源三郎《うねげんざぶろう》が立っていて、初老の武士を、しきりになだめている様子なのが目に入った。

で、傍の天水桶の近くにたたずんで、暮れて行く空を仰いだ。

この二、三日、気温が上って、江戸の桜はどこも蕾がゆるみはじめ、この分だと例年より早い花見になるだろうと、せっかちな連中はもう浮れ気分になっている。

「東吾さん」

源三郎の声が聞えて、東吾は視線をそっちへ戻した。僅かの間に初老の武士の姿は消えていて、源三郎だけが大股にこっちへ近づいて来る。

「道場帰りのようですな」

「今日は早く終ったんだ」

八丁堀の道場は組屋敷に住む町奉行所の与力、同心の子弟のためのもので、東吾は師の斎藤弥九郎から神道無念流の免許皆伝を受けて以来、この道場の師範をつとめている。もっとも、教える側は東吾一人ではないから、適当に相談をして、おたがいの都合に合せてやりくりが出来る。

このところ、東吾は五《ご》、十日《とおび》の午後を受け持っていた。

「お姫さんは大きくなったでしょう」

と源三郎がいったのは、立春の日に誕生した東吾の娘の千春《ちはる》のことで、まるで、大名の姫君のように上品で愛くるしいと、深川、長寿庵の長助《ちようすけ》がいい出してついた仇名を源三郎も面白がって口にしているせいであった。

「あいつ、急に重くなりやがったんで、るいもお吉《きち》もお手あげでね。とてもじゃないが、長いこと抱いちゃいられねえから、寝かしてばかりいる。また、よく眠る子なんだとさ」

「寝る子は育つといいますよ」

「あの調子ででっかくなりやがったら、嫁のもらい手がなくなるよ」

「今から、そんな心配をしているんですか」

源三郎は自分の屋敷へ帰るものと、東吾はそっちの方角へ歩き出したのだが、これから深川まで行くという。

「長助に用事を頼まねばなりませんので……」

「御用の筋か」

「そうではありませんが……」

「なんだ」

ふっと源三郎が声を落した。

「先程、手前が向い合っていた仁を御存じですか」

道は日本橋川へ出ていた。組屋敷の中から抜け出たことになる。

「たしか、定廻《じょうまわ》りの旦那だったな」

「吉井伝兵衛どのです」

源三郎の声が更に低くなった。

吉井伝兵衛の名は、東吾も知っていた。

定廻り同心の中でも最古参であり、職務に忠実なことでも定評があった。吉井伝兵衛が手がけて解決した事件も多く、殊に民事に関して手腕があると聞いている。

「吉井どのは、いくつになられたのだ」

「今年、ちょうどと聞いています」

五十歳という。

「跡継ぎは見習に出ているのだろう。ぼつぼつ、楽隠居ではないのか」

町奉行所に所属する与力、同心は、一応、一代限りでその職を退く建前になっているが、実際には完全な世襲であった。

与力の子は成長すれば親の跡を襲って与力となる。同心も同じであった。

親が或る程度の年齢になると、嫡男を見習として届け出る。見習がほぼ一人前になったところで、親のほうが隠居願いをして職を退くという形が定着していて、役人の世界でも他とは断絶した特殊社会であった。

それは、町奉行所役人そのものが独特の立場であって、いわゆる罪人を扱うので不浄役人と呼ばれる一方で、身分からすればお目見得以下なのに、将軍家のお成り先には警固のため、同心が配置されるが、その折、上下《かみしも》などの着用はせず、着流しのままで差し支えないといった慣例がまかり通っている。

諸役人のように手柄を立てれば身分が上るということはなく、与力は一生、与力、同心から与力に昇進する例もない。

その代り、暮しは比較的、裕福であった。

町奉行所というところは、大名家からの付け届けがある。

個人への音物《いんもつ》ではなく、町奉行所に対して参勤交代で出府する際、将軍家へ献上する領内の産物を、その残りもの、即ち残献と称して老中や御三家に届けるのだが、それが町奉行所へも来る。つまり、自分の家中の侍が江戸で不祥事を起した時、何分、藩名の出ないよう、よろしく頼むという意味で、事実、地方から殿様のお供をして生れてはじめて江戸へやって来た侍の中には、江戸の習慣を知らず、吉原へ出かけては問題を起したり、往来でまごまごしていてごろつきに因縁をつけられたり、掏摸《すり》に遭った、茶店に大事なものを置き忘れた、と、なにかにつけて町奉行所の厄介になる場合が少くない。町奉行所では、そうした残献の中《うち》、金は火急の際の要慎として町奉行所に貯えておくが、物産品などは与力、同心に公平に分配することにしている。

大名の参勤交代は大体、一年おきだから、この余徳は馬鹿に出来ないし、与力、同心共に組屋敷の中に住居としてはかなりな敷地を頂いているので、人によってはその一部を医者などに貸していたりもする。

なんにせよ、蛙の子は蛙で、八丁堀の組屋敷で産湯をつかった跡取り息子は、おのずと親の職を継ぐようになっている。

で、東吾は吉井伝兵衛も悴《せがれ》に職をゆずり渡す時期が来ているだろうといったのだったが、源三郎の表情は冴えなかった。

「東吾さんは、吉井どのの御子息を教えている筈ですが……」

吉井喜一郎という名を聞いて、東吾は首を傾げた。

「いわれてみると、そんな名前に記憶があるが、この頃は来ていないと思うよ」

八丁堀の道場のことであった。

「一応、これでも先生と呼ばれている立場だから、教えている者の顔と姓名は憶えているつもりだが、なにしろ、この節はちょいとやって来て忽ち、やめてしまう連中が多いのでね」

子供の時に、母親に伴われて入門しても、当人に根気がなくて続かなかったり、親もやかましくいわなかったりで、ずるずると来なくなる者が増えている。

「まあ、仮にも侍だから、一通り、やっとうの修業は必要だろうが、町奉行所で働くのは、なにも、源さんのように捕物で白刃の下をかいくぐる者ばかりじゃないからな」

町奉行所の仕事は幅が広くて、おびただしい訴状を片付けたり、町々の行政にかかわり合ったり、老中から伝達される町触れを検討し、実行に移したりと、けっこう事務的な要素が強く、実情をいえば、それが仕事の主流を占めている。

そういう意味では、与力、同心と呼び名は同じでも、剣術なんぞは無用の長物の職場で一生を過す者もあるので、八丁堀に立派な道場があっても、通って来る子弟の数は一定しないし、長続きする者はむしろ少い。

しかし、吉井喜一郎が親の跡を継ぐとなると、定廻りの役になる可能性はかなりあるので、もし、そうとなれば剣術の心得は他の者よりも必要となる。

「もっとも、この節は肝腎の十手術より、朱房をどうさばくと恰好よくみえるなんぞといったことに、血道をあげている奴もいるそうだが……」

それにしても、吉井伝兵衛は定廻りきっての硬骨漢であった。悴が剣術修業を怠るのを黙ってみているとは思えない。

「病身なのか。喜一郎というのは……」

「はっきりいえば柔弱ですが、別に病身ではありません」

漸く、東吾は気がついた。

「要するに、出来が悪いんだな」

「吉井どのは、何度も御子息を鍛え直そうと努力されたそうです。先程、申されるには、もはや愛想が尽き果てたと……」

「そんなに、ひどいのか。理由は何だ、酒か、女か」

「両方でしょう。近頃は麻布市兵衛町の岡場所に入りびたりだそうです」

「あんな所に首を突っ込んでいるのか」

「御存じですか」

「遊んだことはないよ。狸穴《まみあな》の方月館に近いんで、話はよく聞くし、一度、仙五郎に誘われて冷やかしに行った。勿論、素通りだがね」

源三郎が笑った。

「まあ、信用しておきましょう」

「嘘だと思うなら、仙五郎に聞いてみろ」

「仙五郎は、その場所では、顔ですか」

「そりゃあ、あいつの縄張り内だからな」

「助かりました。実は、長助を仙五郎の所へやろうと思いましてね」

「吉井どのに頼まれたのか」

「こういうことは、親が乗り出してはいけません」

話の成り行きで、東吾も源三郎と一緒に深川まで行った。

長助は源三郎から話を聞くと、

「左様なことでございましたら、明日早くに飯倉へ参りまして、仙五郎どんと談合して、吉井の旦那のお跡継ぎがどんな女にはまっているのか、いろいろと訊いて参ります。その上で、旦那のお指図を……」

例によって、呑み込みが早かった。

「なんなら、俺も一緒に行ってやろうか」

調子に乗って東吾がいったが、

「冗談じゃございません。お屋敷にお姫さんがお生まれになったばっかりだというのに、若先生を岡場所なんぞにお連れしたら、かわせみにお出入り禁止となっちまいまさあ」

あっさり長助に断られた。

二

その長助が深川へ帰って来たのは二日後の夕方で、

「よろしかったら、長寿庵までお出かけ下さい」

と源三郎からの伝言が来て、早速、東吾は「かわせみ」をとび出した。

「どういうんですかねえ。畝の旦那は、赤ちゃんがお生まれなすったばかりの若先生をひっぱり出して……」

とお吉は苦情をいったが、るいは笑っただけで、赤ん坊に乳を飲ませることに専念している。

大体、家にじっとしていられない東吾の気性を知り尽しているし、仮にいたところで、赤ん坊の世話の出来る男でもない。

東吾にしても、いい気になって抱いていれば、忽ち麻生宗太郎《あそうそうたろう》から、

「抱き癖がつきますから……」

と注意されるし、赤ん坊の世話はるいとお吉が手ぎわよくやってのけて、なんにも手を出すところがない。むしろ、自分が家にいると、大きな赤ん坊が一人増えた具合で、るいもお吉も更にいそがしくなるというのが、なんとなくわかって、近頃は遠慮なく外へ出かけるようにしている。

長寿庵へ行ってみると、源三郎と長助は二階で話し込んでいた。

「どうも、麻布界隈は荒っぽい夜盗が出没しはじめているようですよ」

東吾の顔をみて、源三郎が告げた。

昨年の暮あたりから、赤坂、四谷、青山と大店や物持ちの家をねらって押し込みが横行していた。それが、今年になって六本木、麻布、飯倉へ移って来たようなのだという。

「必ずしも、同じ盗賊の仕業だという確証はありません。ただ、今、長助の話を聞いていて、手口が似ていると思いました」

「一つは、その家の戸じまりの弱点を賊が知っているのではないかということです」

例えば、なにかの事情で家族の誰かが遅くに帰宅するような場合、裏口の鍵を閉めないでおくとか、或いはどこかの部屋の雨戸の桟《さん》を下さないで外からでも開けられるようにしておくとか、その家の者だけで取り決めておくような場所があるものだと、源三郎はいった。

「どうも、賊は、そういう場所から侵入しているようなのです」

「すると、盗賊が押し込む時刻は四ツ半（午後十一時）あたりか」

東吾の言葉に、長助が大きく反応した。

「おっしゃる通りで……仙五郎どんの話ですと、大方が四ツ（午後十時）から四ツ半ぐらいの間だということでございます」

冬の季節、それでなくとも朝の早い商家では、家族も奉公人も早寝をする。遅くまで起きていれば、その分だけ行燈の油や暖を取るための炭が必要だし、火の元の用心も悪い。

で、早い者は五ツ半（午後九時）には布団にもぐってしまい、夜なべをする者でも四ツが限度となると、夜遊びに出かけている者、止むを得ず帰って来るのが深更になる者のために、どこかを戸じまりしないでおく。が、それも、その者が戻ってくれば、当然、桟を下すなり、鍵をかけるなりしてしまう。

「手口というと……」

東吾が賊の押し込む時刻を四ツ半頃といい当てたのは、そのあたりを判断したからで、吉原のような遊廓では、九ツ（午前零時）に引け四ツの拍子木を打ち、泊り客以外はその前に大門を出るきまりになっている。

従って、岡場所で遊ぶ場合、商家の奉公人や部屋住みの若旦那なぞはおおっぴらに外泊出来ないので、大抵、九ツ以前にひき上げて帰宅するのが普通であった。

つまり、麻布あたりを跳梁している賊はその家の家族が眠ってしまい、出かけている誰かが帰って来るまでの僅かな間をねらって押し込んでいるらしい。

「流石《さすが》に東吾さんは、身におぼえがあるようですな」

源三郎が笑ったのは、昔、東吾がるいと忍ぶ仲だった頃、兄の手前、「かわせみ」に泊りにくく、多くの場合、深夜にそっと帰邸していたのを知ってのことである。

「しかし、その時刻だと、まだ起きている者もあるだろう」

一軒の家で全員が気を揃えて早寝をするにしても、他出している者がある場合、誰かが起きて待っていることもある。

「そうなんで……賊は出かけている者を口実に使って、戸を開けさせて居ります」

起きて待つ者があれば、当然、戸じまりはしている。帰って来て、声をかければその者が戸を開けてくれるわけで、

「旦那が妾の家で具合が悪くなったてなことをいって、戸を開けさせたと申します」

長助が、ぼんのくぼに手をやりながら答えた。

「昨夜、あっしは仙五郎どんの飯倉の家へ厄介になったんですが、明け方前に叩き起されまして。増上寺の裏の酒問屋がやられました」

長助が深川へ帰ってくるのが遅れたのは、その事件の手伝いをして来たせいらしい。

「その酒問屋の亭主が妾宅へ出かけていたのかい」

東吾が訊き、長助が顔をくしゃくしゃにした。

「昨夜のは、酒屋の若旦那が女のところへ出かけて居りまして……親が、まだ健在でやかましいから泊らずに帰っているといったようなことでございまして……」

「場所はどこだ」

「麻布で……」

そこで、源三郎が話を元へ戻した。

「盗賊の件もですが、吉井どのの倅、喜一郎どのが入りびたっているのは麻布市兵衛町の岡場所の紅屋と申す見世で、相手の妓《こ》は浮舟とわかりました」

本来、長助が麻布へ出かけたのは、こちらの調査が目的であった。

「仙五郎どんが調べてくれたことでございますが、吉井喜一郎様は御自分の身分をかくして遊んでお出でのようで……。それでも女郎屋のほうはちゃんと承知して居りました。浮舟という妓《こ》は、本名がおてい、親は八王子のほうの百姓だとか。小柄で若くみえるそうですが、もう二十八になるとのことでして、本来なら、ぼつぼつ年季があけるところですが、親が病身で始終、妹が金を取りに来て、紅屋のほうにはかなりな借金がございます。まあ、いい旦那でもつきませんことには、いずれ、住み替えで都落ちって話になりかねねえようで……」

「器量はいいのか」

と東吾。

「あいにく喜一郎様が居続《いつづ》けなんだそうで、当人の顔をみるわけには参りませんでしたが、仙五郎どんの話では十人並み、ただ、その、床上手って評判があるそうで……」

また、ぼんのくぼに手をやった。

「女が年上で、金に困っているとなると、ちと厄介かも知れません」

源三郎も眉を寄せた。

「第一、喜一郎どのが女と別れる気になってくれませんことには……」

「浮舟って妓《おんな》に、悪い紐はついていないのかい」

長助がかぶりを振った。

「今のところ、ねえようでして、客の他に訪ねて来るのは妹だけだと、見世では申して居ります」

長助の女房が階段のところから遠慮がちに亭主を呼んだ。酒を持って来たらしい。

長助が立ち上り、東吾は暗くなった障子に目をやった。

三

東吾が兄の神林通之進《みちのしん》に呼ばれたのは、それから二日後のことで、

「定廻りの吉井伝兵衛の悴、喜一郎のことだが、畝源三郎より子細は聞いて居ろうの」

といわれた。

「本日、吉井より悴を廃嫡にする旨、上役に届け出があったそうな」

兄の言葉に、東吾は驚いた。

「しかし、吉井家は一人息子と聞いて居りますが……」

「それ故、上の者どもが彼をなだめ、届けは打ち捨てさせたそうじゃが、源三郎の話によると、喜一郎は麻布の岡場所に居続けて、父親が人を介して迎えをやっても、戻ろうとせぬとか。その上、自分から廃嫡にせよといい出し、遂に吉井伝兵衛も堪忍の糸が切れたと申すところらしい」

通之進が、かすかに苦笑した。

「若い時にはありがちなことじゃが、親子の間がこれ以上こじれると厄介になろう。今のところ、畝源三郎が何やかやと骨を折っている様子だが、律義者の畝では荷が重い。また、こうしたことは、なまじ、父親と同業の者でないほうが、喜一郎も胸衿を開いて話せるように思う。すまぬが、其方《そち》、折をみて麻布へ参り、喜一郎の本音を聞いてやってくれぬか。その上で、父親の気づかぬ悴の気持というものがあるならば、わしから吉

井に伝えてやってもよいと思うて居る」

成程と、東吾は合点した。

こうした心くばりのある所が、兄をして、若いに似ず、苦労人、と評される所以かと思う。

「承知しました。手前で役に立つかどうかはわかりませんが、明日、講武所の稽古が終り次第、麻布へ参ってみましょう」

「ついでと申しては相すまぬが、これを方月館の松浦先生にお届けするように……」

たまたま入手したという唐墨の包を手渡された。

翌日、東吾がその旨をるいに告げて「かわせみ」を出ようとすると、畝源三郎が来た。

「歩きながら、お話し申します」

という。

「神林様より、東吾さんが麻布へ行かれる旨をお聞きしました。喜一郎どのは、相変らず紅屋の浮舟の許にいるようです。彼を呼び出すには、仙五郎を使ったほうがいいでしょう」

「俺も仙五郎に頼もうと思っていた」

「今夜は方月館へお泊りですか」

「その心算《つもり》だ」

喜一郎との話がそう簡単に済むと思えなかったし、兄からのことづかりものもある。

「喜一郎のこともだが、長助が話していた盗賊はつかまったのか」

「夜廻りの人数を増やしたりはしているようですが、一向に手がかりがつかめないと聞いています」

憂鬱そうな源三郎と別れて、東吾は講武所へ向った。

その日の稽古が終ったのが、正午すぎで、東吾はまっしぐらに方月館へ足をのばした。

まず、兄からことづかった唐墨を松浦方斎《まつうらほうさい》に届けるためだったが、門を入ったところの日だまりで善助が一服している脇に、飯倉の仙五郎がこれも番茶茶碗を手に薪の上に腰を下している。

「なんだ。来ていたのか」

東吾に声をかけられて、仙五郎が、わあっと声を上げた。

「今、善助どんと若先生の話をしていたんです。こう埒があかねえんじゃ、いっそ大川端まで行って、若先生のお智恵を拝借して来ようかって……」

「長助から聞いたよ。押し込みが流行《はや》っているそうだな」

松浦先生に挨拶して来るから待っていてくれという東吾に、仙五郎がたて続けに頭を下げ、善助が大声で母屋へ東吾の訪れを知らせに走った。

方斎はやや風邪気味ということで、顔色は冴えなかったが、

「赤児《やや》は元気か」

と聞いた声には、いつもの底力があった。

「春長《な》がにでもなったら、是非共、顔をみに参りたいと、おとせに申して居ったところじゃ」

ともいわれて、東吾は恐縮した。

「それにしても、東吾が父となったとは、わしが年をとる筈じゃよ」

老師の感慨を聞き、兄の伝言や、唐墨を披露してから、東吾が台所へ戻って来ると、おとせが粕汁に餅を入れたのを用意していた。

「講武所から、まっすぐお出でになったとうかがいましたので、お昼もろくに召し上っていないのではないかと思いまして……」

実際、その通りだったので、東吾は喜んで舌が焼けそうな粕汁をふうふういいながら食べた。

その隣で仙五郎もお相伴をしながら、

「若先生が、お出でなすったのは、吉井の旦那の御子息のことじゃあございませんか」

という。

「実は、みんなが心配しているんだ。吉井どのが立派な人柄だけに、その一人息子がなんで、ぐれちまったのか。まあ、若気のいたりにせよ、喜一郎が本気で女に惚れちまったのか、女の手管にひっかかっているのか、その辺りがわからねえと、話のしようがないだろう」

仙五郎が粕汁で赤くなった顔を、箸を持った手でつるりと撫でた。

「先だって、長助どんが来なすってから、あっしも気になって、紅屋の連中にいろいろ訊いてみたんですが、女のほうは商売でございますし、悪いお客でもねえんで大事にするのが当り前ですが、喜一郎様がとりわけ女にのぼせ上っているようでもございません。と申しますのは、あっしが紅屋の亭主の権之助ってえのに話をしまして、喜一郎様に意見をしてもらったんでございますが……」

こういう所にあまり長居をするのはお身のためにもならないし、親御様も御心配なさるだろうから、いっぺん、お屋敷へお帰りなすって、折をみて、また、お遊びにお出でなすって下さい、と女郎屋の亭主からいわれて、喜一郎は、

「屋敷には帰りたくないのだ。浮舟の所に居続けをして具合が悪いのなら、他の妓でかまわない。誰でもいいからよこしてくれ」

と返事をしたという。

「屋敷に帰りたくないから、女郎屋に居すわっているというのか」

「権之助は、そのように申して居ります」

「困った奴だな」

粕汁で体が温ったところで、仙五郎と方月館を出た。

麻布市兵衛町の岡場所は見世の数は多くないが、総体に小ぎれいで、けっこう大見世があり、家の造りも悪くない。

「局《つぼね》見世にしては妓の衣裳も綺麗でございますし、客種も上等で、繁昌して居りますよ

うで……」

と仙五郎がいうように、まだ灯ともし頃にならない中《うち》から、化粧をした妓の姿がちらほら見えて、その一帯が活気づいている。

東吾は外で待ち、仙五郎が紅屋へ行って、喜一郎を伴って来た。

「神林先生」

と驚いた顔をみて、東吾も思い出した。確かに五、六年前、八丁堀の道場へ通って来ていた。

どこかで酒でも飲みながらと東吾は考えていたのだが、それをいうと、

「酒は飲み飽きました。よろしければ、この先の寺の境内に茶店がありますので……」

先に立って歩き出した。

たしかに、寺が五、六軒並んでいたが、喜一郎が入って行ったのは湖雲寺という、門前町を持つ曹洞宗、芝愛宕町青松寺の末寺であった。

境内はかなり広く、桜樹の横に茶店がある。

時刻が時刻だけに客は居らず、老婆が帰り支度をしている。

「かまわないから帰ってくれ。縁台はいつものように片付けておく」

喜一郎が声をかけ、老婆はそれに頭を下げて店を出て行った。

「貴公、ここへよく来るのか」

東吾が訊くと、

「毎日、来ています。なにしろ、居場所がありませんので……」

縁台をすわりやすい位置に直し、東吾に勧めた。仙五郎は遠慮して、少し離れた松の根方に腰を下している。

「何故、八丁堀へ帰らんのだ」

東吾が穏やかに口を切り、喜一郎はいくらか伏し目になった。

「手前は定廻りに向いていません」

たしかに、武骨な父親とは正反対の体つきであった。肩も腕も女のようだし、胸幅もない。

「定廻りが激務で無理と思うなら、他のお役に廻してもらうことも出来るだろう。一年中、背中に皹《ひび》を切らすだけが町奉行所の仕事ではない」

喜一郎が深くうつむいた。

「手前は廃嫡して頂きたいと思っています。吉井の家名は他から養子を迎えてくれるよう父にお伝え願います」

「何故だ」

「父も、それを望んでいると思います」

「それは違うぞ。吉井伝兵衛どのの本心は貴公に屋敷へ戻ってもらいたい筈だ」

「父の名を辱かしめるだけです」

「なに……」

「子供の時から、母にいわれ続けました。父上のような立派な武士になれ、父上は十五で見習に出、翌年には大捕物で手柄をおたてになりました。わが家へお出でになる方々は必ず、おっしゃいます。いついつの大水の際、川を流されて行く子供を、父が危険を顧みずとび込んで助け上げたとか、蔵前へ押し込んだ賊の首領が大力で、捕方の五、六人がかかっても手に負えなかったのを、父が十手で打ちすえて召し捕ったとか……沢山です。手前は父のようにはなれません。母は手前を情ない子だ、父に似ぬ子だと歎きながら歿《なくな》りました。母が生きている間は叩き出されるようにして道場へ通いました。書物も読みました。しかし、母が居なくなって、やる気もなくなりました」

「伝兵衛どのは、どういわれたのだ」

「父は屋敷に居りません。朝、奉行所に出仕して、帰るのは夜になってです」

「話などはしないのか」

「疲れ切っている父に、答のわかっている話など出来ません」

「どういう答だ」

「手前には、吉井家を継ぐ器量がないということです」

「それで、女郎屋に逃げ込んだというわけか」

喜一郎が痩せた肩を聳《そび》やかした。

「まあ、そういうことです」

「いい年をして、甘ったるいことをいうもんだぜ」

穏やかな口調は変らなかったが、離れてみていた仙五郎には、東吾の目が怖いほどの強さで、喜一郎へ注がれているのがよくわかった。

「あんたが女郎屋で遊んでいる金は、伝兵衛どのが、命をかけてお上に御奉公して得たものだ。それとも、あんたがどこからか工面して来たとでもいうのかい」

聳かしていた肩から力がなくなって、喜一郎はそっぽをむいた。

「手前が屋敷から金を持ち出したことをおっしゃるのですか」

「親の金で飯を食っていて、きいたふうなことをぬかすなよ」

「神林先生は、手前が野垂れ死したらよいとお考えですか」

「まだ、ましだろうよ。少くとも、伝兵衛どのに養子を迎えようという決心がつく」

喜一郎が蒼白になって、ぶるぶるふるえているのを眺めて、東吾は腰を上げた。

湖雲寺を出て市兵衛町の方角へ歩き出すと、仙五郎が追いついて来た。

「大丈夫でござんしょうか」

喜一郎は泣いていたと仙五郎はいう。

「もしも、短気をお出しなすって……」

「あんな甘ったれが死ぬものか。死ねる奴なら、とっくに立ち直っている」

「左様で……」

しかし、東吾は内心で困惑していた。甘ったれであろうと、出来そこないであろうと、吉井伝兵衛の嫡男であった。立ち直れるものなら立ち直ってもらいたい。

「当人がその気にならないと無理なんだがなあ」

市兵衛町の花街は賑やかであった。どの見世も明るく灯がともって、嬌声が聞えている。

紅屋の前まで来ると、勝手口のほうから若い女が出て来た。小柄で愛敬のある顔をしているが、おどおどと落ちつかない。

「ありゃあ……」

と仙五郎が声を出し、東吾が、

「なんだ」

「いえ、どこかでみた顔だと思ったんですが……さあて……」

身なりからして素人であった。仙五郎が紅屋の若い衆を呼び止め、その間に若い女は路地へ走り込んで姿を消した。

「浮舟女郎の妹だそうで……」

戻って来た仙五郎が東吾に告げた。

「名前はおよねというようで……」

「親分は、どこかで会ったことがあるのか」

「いや、顔に憶えがあるような気がしましたが、あっしの思い違いかも知れません」

見世を冷やかしている男達をちらと眺めて舌打ちした。

「全く、のんきな奴らで……手前の留守に家に押し込みが入るかも知れねえっててのに……」

例の夜盗の件であった。

「長助が来た時は、酒問屋の若主人が女の所へ出かけていて押し込まれたそうだが、その後もどこかへ入ったのか」

「昨夜、青山の地主が父親の葬式で集った香奠《こうでん》をそっくりやられました」

青山は仙五郎の縄張り外だが、

「手口がこっちのと同じようなので、昼間、行って聞いて来ましたんですが……」

野辺送りをすませた夜のことで、家族は疲れ切って早寝をしようとしていたところへ寺からの使だという者が戸を叩いた。

「なんでも、住職が戒名を書き間違ったので新しく書き直して届けに来たというんで、戸を開けたとたんに、白刃を突きつけられたと申します」

幸いというのも可笑《おか》しいが、手むかいをせず、有り金残らずさし出したので怪我人はなく、その代り、全員が縛り上げられ、朝になって近所の者が様子が変だと、見に来てくれて、大さわぎになった。

「そいつらが、酒問屋を襲ったのと同じ賊なのか」

「へえ、首領らしいのが、えらく背が高く、四人組だってことでして……それと、この界隈でも葬式の夜にやられた家がございまして……」

今井町の名主の家で、当主が歿った野辺送りの夜に押し込まれているという。

「待てよ」

東吾が仙五郎を眺めた。

「このあたりで賊にやられた家を、順を追って話してくれないか」

四

方月館で、仙五郎が盗賊の荒した家を書き出してみた結果、面白いことがわかった。

一つは、酒問屋の若主人のように、妾宅や或いは岡場所なぞへ出かけていて、夜更けに帰るために、どこかに桟を下してなかったといった例であり、もう一つは、その日、葬式とか法事、或いは祝いごとのあった家に限って押し込まれているという事実であった。

考えるまでもなく、葬式や法事があれば、当然、まとまった金が入るし、その額はつき合いが広く、裕福な家ほど大きいというのが常識となる。

「盗賊は、寺に関係があるんでございましょうか」

方月館の善助がいったが、東吾は別のことを考えていた。

「このあたりの岡場所というと、まず、麻布市兵衛町だろうな」

仙五郎が答えた。

「まあ、品川まで足を伸ばすか、赤坂の麦飯か、どちらもちょっと遠《とお》ございます」

品川は街道筋で、これは大きな岡場所だが、この附近の者が宿場女郎を買って、泊りもせず、その夜の中《うち》に帰って来るには遠方すぎた。

麦飯は、その名前の通り、素朴な岡場所だが、妓の数も少いし、店がまえも小さい。

「まあ、気に入った妓でも出来ればなんですが……」

近くに人気のある遊び場所があるのに、わざわざ足を伸ばすほどのことでもなかろうと仙五郎はいった。

「吉原なんぞへくり出すとなりゃあ、話は別ですが……」

「賊に入られた家だが、ひょっとして留守にした連中は市兵衛町へ遊びに出かけてはいないか」

東吾がいい出したのは、その夜の中に遊んで帰って来られる岡場所としては、市兵衛町が便利だし、もしも、遠くへ遊びに出かけたのなら、どうしても泊りになりがちで、遅くとも帰って来るから栈を下さないでくれなどと、家人に頼むことはあるまいと思ったからである。

仙五郎の返事はあっけなかった。

「若先生のおっしゃる通りで……それも大方が妓は違っても紅屋の抱えでございます」

妾宅へ行った酒問屋の若主人にしても、その女は、紅屋でなじみになった妓を落籍《ひか》せたものであった。

「仙五郎、紅屋にねらいをつけろ。紅屋の中に賊の仲間がいるのかも知れんぞ」

馴染《なじみ》の妓にならば、客は遅く帰った時、どうやって家へ入るかを話す可能性がある。

こんなに遅くなって、泊って行ったらと妓が勧めた場合、なに、どこそこを開けておいてあるからと、うっかり返事をしないでもないではないか、と東吾がいって、仙五郎は額を叩いた。

「するってえと、女郎が一味で……」

「そうとは限らない。妓の口からそうしたことを聞き出せる奴もいるだろう」

とにかく、紅屋の人間をさりげなく調べろと命じて、東吾はその夜、方月館へは泊らずに「かわせみ」へ帰った。

五日ほどして、江戸の桜が三分咲きといった頃に、飯倉から仙五郎が頭に湯気を立てて御注進にやって来た。

紅屋に、なにか手がかりがあったのかと東吾は思ったが、

「おいいつけに従って、紅屋の人間や出入りの者を調べて居りまして、また、およねをみかけたんですが……」

喜一郎のなじみの浮舟の妹である。

「思い出しました。以前、およねをみたのは、今井町の名主の野辺送りの時で、あの女は手伝いの中にいたんです」

早速、今井町の名主の家へ出かけて、およねを知っているかと訊いたところ、家人の誰もが心当りがないと答えた。

「葬式の時は、あっちこっちから手伝いの者をよこしてくれるので、いったい、どこの

誰が手伝いに来たのか、一人一人に見憶えがなくとも不思議じゃねえんで……」

「仙五郎、そいつだよ」

「へえ、おまけにおよねの奴は、酒問屋の若主人の妾の家にも時々、やって来て水仕事なんぞを片付けているってことがわかりました」

更に、青山の地主の家の者に、さりげなくおよねの首実検をしてもらうと、そういえば、あの女が手伝い人の中にいたと証言する者がいた。

「およねは、どこに住んでいるんだ」

「そいつが、面目ねえ。お膝元でして……」

飯倉片町の長屋で、亭主だという男は、昼間は家にいて、夜更けると出かけて行くという近所の者の話であった。

「まず、間違いねえな。あとは源さんに頼もう」

仙五郎を連れて、畝源三郎の屋敷へ行った。

更に三日経って、広尾で大捕物があった。

米問屋の隠居の野辺送りの夜、押し入った盗賊は、張り込んでいた捕方によって一網打尽となった。

「浮舟もおよねとぐるでした。それとなく、朋輩の妓から、客の話を聞き出しては、妹に教えていたようで、これもお召し捕りになりましたよ」

姉は客からの情報を集め、妹は冠婚葬祭の手伝いに行って、その家の様子を探り出す。

「ちょっとした智恵ですが、後に悪党がついているのでは、たまりません」

例によって、深川の長寿庵で落ち合って、源三郎は東吾に報告した。

「喜一郎の奴、驚いたろうな。あいかたが盗賊にかかわり合っていたとは……」

源三郎が下を向いて笑った。

「喜一郎どのは、屋敷へ帰っていますよ」

「ほう」

「一応、神妙に十手術の道場へ通い出したそうです」

「伝兵衛どのは、悴の妓が賊の一味だったってことを、御存じないのだろうな」

「無論です」

浮舟の名は出さず、本名のおていで取り調べた。

姉妹共に島送りとなる筈だといった。

「紅屋のほうにも、浮舟と喜一郎どののことは固く口止めをしておきました」

「源さんも苦労人だな」

「身内をかばうつもりはありませんが、知らないで客になっていたくらいで、おとがめを受けるのでは気の毒です」

当人が立ち直って、

「さきざき、お上のお役に立ってくれれば、いうことはありません」

「あいつが、ものの役に立つかな」

「どんな人間も、その気になって努力すれば、必ず出来る仕事があるといわれたのは東吾さんですよ」

「俺が、そんなえらそうなことをいうか」

「ごま化しても無駄です。仙五郎がちゃんと報告しています」

「冗談じゃねえな」

大笑いしている東吾へ、源三郎が父親の声になっていった。

「吉井家のことはいろいろと考えさせられます。手前は伝兵衛どののような秀れた役人ではありませんから、源太郎《げんたろう》は気が楽だとは思いますが、男の子というのは、生まれながらに重荷を背負っているような所がありますからね」

「俺のところは、女でよかったよ」

「東吾さんを越えて行くのは大変ですからね」

「そりゃあ、皮肉か」

長助が蕎麦を運んで来た。

長寿庵の開けはなした窓から、花片が一つ舞い込んで、そのむこうの空には夕月が淡く浮んでいた。

春《はる》の高瀬舟《たかせぶね》

一

大川端の旅宿「かわせみ」の庭に藤の花が咲きはじめると、小さな藤棚の周辺は甘い香が漂って、それは神林東吾とるいが暮している離れの縁側にもかすかながら流れて来る。

もっとも、東吾は花の香には無頓着なほうだから、開けはなした障子の近くにすわって、のんびりと刀の手入れをしていると、女中頭のお吉が例によってあたりかまわぬ大声でまくし立てているのが聞えて来た。

で、とりあえず刀をしまって縁側へ出てみると、裏庭の井戸のところで米袋らしいのをぶら下げたお吉が番頭の嘉助《かすけ》を相手に口角泡をとばしている。

嘉助が東吾をみつけて慌ててとんで来た。

「お吉さんの大声で、千春嬢さまが目をおさましじゃございませんか」

東吾が奥を眺めて笑った。

「心配するな。うちのちび姫どのは、雷が鳴ったって目がさめないんだ」

実際、寝る子は育つというけれども、立春に誕生した「かわせみ」の一人娘は、るいがお乳を飲ませる時以外はひたすら眠っていて、つい先日も東吾の兄の通之進が、わざわざ赤ん坊の顔を見にやって来たというのに、ぐっすり眠り込んでいて、一刻（二時間）余りもねばった名付親は遂に目ざめた様子をみることもなく、それでも満足して八丁堀の屋敷へ帰って行った。以来、弟の娘である赤ん坊を兄夫婦は「ねんねん姫」と呼んでいるらしい。

東吾の言葉で、お吉は自分の口に手を当て、頭を下げたが、今度は低声《こごえ》で東吾にいいつけた。

「若先生の前で、なんでございますけど、江戸っ子は本当に見栄っぱりでございますね」

小網町二丁目の古河屋で、米の安売りをしているのだといった。

「今日一日だけ、百文で一升だと張り紙までしているのに、お店へ入ってみたら、ろくに客が来ていないんです。古河屋さんもあてがはずれたみたいでした」

「俺は、米の値段を知らないが、百文で一升というと大安売りなのか」

困った顔で東吾が応じ、嘉助が答えた。

「まあ、米と申しましても、産地によって出来不出来がございますようで、やはり旨い米は少々、高くつきますが……」

お吉が鼻をうごめかした。

「古河米は、地廻り米の中じゃ、上ノ上なんでございます。ですから、普通は百文でせいぜい六合、安い時でも七合しか買えません」

「それが一升百文か」

「ええ、いつもの半値に近いんです」

「なんだって古河屋は、そんな安売りをしたんだ」

米の値段はその年の米の豊作、不作によって上下したが、問屋場のほうで価をとりきめ、それに従って小売り値も決る。

そして、米の値段が諸物価の基礎になることもあって、あまり安売りをするという話は聞かない。

「なんですか、古河屋の番頭さんの話ですと、間もなく、古河のほうから高瀬舟が着くと、同じ籾《もみ》米でも、むこうの蔵で保存してあったもののほうが、昨年、江戸へ運ばれたのより、いくらか旨いんだそうです。それで、昨年、着いたほうのを、少しばかりお客様に喜んでもらおうと安売りしたとかいってました」

江戸には諸国からの米が集ってくるが、大坂を経由して送られて来る上方米と、関東近在で生産されたものが直接、江戸へ入って来る地廻り米が、その中心となっていた。

この中《うち》、地廻り米では武州、上総、下総、上州、野州、常州、奥州などから送られるのが、多く扱われていたが、上ノ上、つまり最高級に格付けされていたのは武州の稲毛米、川越米、房州の長狭《ながさ》米、武州の岩槻米、下総の古河米、上州の館林米、武州の忍《おし》領米、上州の高崎米の順であった。

つまり、古河米は上ノ上の五番目ということで質がいい分、値も高い。

そして、その古河米を江戸で売りさばいていたのが小網町二丁目の古河屋なので、古河屋には秋の新米の季節から何回かに分けて、古河米が地元から送られて来る。

古河では当然、籾米のまま保存し、籾米で江戸へ運ぶから、古河屋の蔵へ入った籾米は小売りに出されて、漸く米搗《つ》きに廻されるので、昨年、入荷したのも、今年になって運ばれて来るのも、あまり変りはない筈だが、そこは人情で、なにか新しく入って来たほうが買い手の気分がいいらしい。

古河屋の今日一日の安売りはそのあたりをねらってのことで、間もなく古河から入荷しますという宣伝の意味もあった。

それにしても、古河米の安売りは珍しく、

「まあ、昨年もその前の年も豊作が続いて居りますから、大方の米問屋の蔵には米がだぶついて居りますそうで、古河屋も例外ではございますまい」

という嘉助の説明を聞いて、東吾は居間へ戻った。

たまたま、るいは髪結いが来ていて、この離れを建て増しする前まで、居間に使っていたほうの部屋へ行っている。東吾にしてみれば、その間、赤ん坊の番をしてやると受合ったにもかかわらず、のぞいてみると千春はまことに愛らしい表情で眠っている。

暫くその寝顔を眺めていると、やがて鬢付《びんつけ》の匂いをさせて、るいが入って来た。

「畝様がおみえですよ」

宿帳改めだと取り次いだ。

東吾の幼友達であり、親友でもある畝源三郎は町奉行所の定廻り同心で、月に一度は「かわせみ」へ宿帳改めにやって来る。

時節柄、素性の知れない者、挙動不審の者を泊めていないかを調べるためだが、「かわせみ」の場合、一年間の客の殆どがもう十年もこの宿を贔屓《ひいき》にして、年に何回かの商用で江戸へ出て来る時の常宿にしているような旦那衆ばかり。とはいえ、時には異色の客が舞い込んで来て、それが事件にかかわり合ったりするので、畝源三郎としては油断が出来ない。

だが、今日の宿帳改めには源三郎の気がかりになるような客はなかったとみえて、東吾が帳場へ出て行くと、この人のよい定廻りの旦那はお吉の運んで来た安倍川餅で茶を飲みながら、嘉助と世間話をしていた。東吾をみると、

「かわせみは景気が悪いらしいですな。女中頭が小網町まで行って安売りの米を買って来るとは、下手をすると夜逃げと評判が立ちますよ」

と笑う。

「成程、うっかり安売りの米を買うのも剣呑だ」

「古河屋は大店だけあって、買い手の心が読めないのでしょうな。仮にも一軒の店を張っている者は下手に安売りの米なぞ買っているのを他人にみられたら、すぐに内情が苦しいのではないかと噂になりますから、用心して買いません。貧乏人は安売りとはいえ百文で一升しか買えない古河米は高嶺の花で、腹をくちくするためなら百文で三升買える米だってあるのですから……」

「定廻りの旦那は下情に通じているもんだな」

それにしても、古河屋ほどの米商人が、なんでそんな馬鹿な安売りをしたのだろうと東吾は首をかしげた。

「長助が聞いて来た話ですが、古河屋の大旦那の市太郎は近く、養子に店をゆずって隠居するんだそうで、その養子というのが古河藩士の悴だとか。今度の古河米の受け渡しにかこつけて古河まで出向いて、むこうの親に正式に話をするのだということです」

そのために、大旦那と養子が揃って江戸を留守にしている。

「おそらく、番頭あたりの智恵でやったことでしょうが、とんだ味噌をつけたものです」

「主人の留守に番頭が独断でやったのか」

「近所の噂はそんなところのようで……」

「古河米というのは、旨いのかな」

「手前は口にしたことはありませんが、上ノ上といいますからね」

ところで、東吾さん、と源三郎が茶を飲み干して立ち上った。

「天下一美味な米は、どこのなんというのか、御存じですか」

「知るか、そんなこと……」

「天下一の極上米は播州明石の天守米、続いて同じく播州の竜野天守米、姫路天守米の御三家だそうですよ」

「天守米と聞いただけで、高そうだな」

「洒落のつもりなら、笑ってあげますが……」

「どうせ、古河屋あたりで長助が仕入れて来た智恵だろうが……」

「かわせみ」の帳場に高笑いが響いてから五日目、畝源三郎から手札をもらっている深川の岡っ引、長寿庵の長助が蕎麦粉を届けがてら「かわせみ」へやって来て報告した。

「小網町の古河屋はえらい騒ぎで……大旦那が行方知れずになっちまったそうです」

二

古河屋市太郎は今年四十五歳だが、若い時から俳諧をたしなんでいて、その方面では勘翁という号で知られている。

女房のくめは四十二歳、古河藩出入りの商人の娘で二十二の時、市太郎と縁談が起り、祝言をあげた。間もなく妊《みごも》って、翌年、女児が誕生、伊乃と名付けた。

けれども、それきり夫婦は子宝に恵まれず、くめが三十のなかばを過ぎてから、古河藩士で御徒士《おかち》を勤める福田孫右衛門の末弟、輝之助というのを養子に貰った。

輝之助は当時十五歳で、直ちに江戸へ来て古河屋へ入り、養父から商売について教えられた。

その輝之助が、今年は二十歳になったので、少し早いが、娘の伊乃と夫婦の盃を交わさせ、古河屋の店をゆずることに定めた。

今月三日に市太郎が輝之助を伴って古河へ発ったのは、輝之助の実家にその報告をするためであった。

江戸から古河へ、千住の宿から日光街道を草加、越ヶ谷、粕壁と旅は順調に進んで、杉戸、幸手《さって》、栗橋、常陸川を渡って古河には五日の夕刻に到着した。

御城下の佐野屋権右衛門という旅籠《はたご》に宿を取り、翌日はまず古河藩の重役を訪ねて挨拶をし、続いて古河米の江戸送りの打ち合せをすませた。

古河から江戸へ、米は高瀬舟で運ばれる。

二日目は輝之助の実家を訪ね、来月に予定している輝之助と伊乃の祝言について、あれこれと相談し、八日には古河米を高瀬舟に積み込むのに立ち合い、そのまま、市太郎だけが舟に乗り込み、輝之助は陸路を江戸へ戻ることになった。

高瀬舟に積まれた米は六百俵、船頭達は巧みに舟を操って利根川を下り、夕方には関《せき》宿《やど》へ着いた。

関宿は久世大和守の御城下で、古河を出た高瀬舟がここで一息入れたのは船頭達の晩飯と、翌日の弁当などを補給するためであったが、その間に市太郎には一つの用事があった。

関宿の積問屋木村清兵衛というのが、市太郎の従兄に当り、先月、女房が急逝していた。

市太郎は香奠を届けがてら、線香をあげたいと考えていたので、予定通り、舟を下り、船頭の作造には早ければ一刻、遅くなっても更けぬ中《うち》に舟へ戻るといいおいて出かけた。関宿を出るのは夜明け前と決っていたので、船頭達は腹ごしらえのあと、各々、仮眠を取り、夜がしらじらとあけそめる前に起き出して支度をしたが、気がついてみると市太郎が戻っていなかった。

ひょっとすると、先方で泊ったのではないかと作造が考えたのは、なんといっても舟の上は狭い。馴れている船頭達はともかく素人の旦那衆が手足を伸ばして横になるのは到底、無理だと思っていたからで、早速、若い者を木村清兵衛宅へ迎えにやった。

仰天したのは、使が戻って来て、市太郎が昨夜、木村宅へ行っていないと知れてからであった。木村清兵衛のほうでも大さわぎになったが、市太郎の所在はつかめない。

「折よく、そこへ陸路を来た輝之助が到着して、義父は自分が探すから、舟はまっすぐ江戸へ向ってくれと命じたとかで、高瀬舟は昨日、江戸へ着きました」

町廻りの帰りだという畝源三郎が「かわせみ」へ寄って、離れには赤ん坊が寝ているからと、以前のるいの居間で早速、膳が運ばれ、酒が出た。

「古河屋のほうから、お上に届けが出たのか」

「左様です。留守を守っている番頭の吉之助が町役人《ちようやくにん》に相談に来たとかで、手前が船頭の作造に会って話を聞きました」

「市太郎の行方は、まだ知れないのか」

関宿で消息を絶ったのが八日の夜である。

予定より遅れて九日の午《ひる》すぎに関宿を発った高瀬舟は関宿から江戸川へ入り、新川口を抜け、船堀川を通り、荒川落しに出た。更に小名木川《おなぎがわ》を大川へ入って日本橋川を上って来たのは十一日の夕刻であった。

本来なら、遅くとも十日には小網町の古河屋へ知らせが入るところを、丸一日の延着である。

「九日、十日、十一日か」

東吾が指を折った。市太郎が行方知れずになって三日が過ぎている。

「まさか、女の所へしけ込んでいるとは思えませんが……」

「船頭はなんといっているんだ。市太郎が舟を下りる時、様子がおかしいとか……」

「別に不審な点はなかったと申していましたが、ただ一つ、市太郎が岸辺へ上ってから、左右を暫く眺めていて、それから町の方角へ歩き出したというのです」

「岸辺の左右をみていた……か」

それだけでは、なんのことかわからない。

「生きていりゃあいいが……どっちみち、もう知らせが届くだろう」

と東吾が呟《つぶや》いた通り、翌日、輝之助からの使が古河屋へ到着し、市太郎の死体が利根川沿いの水田の近くでみつかったと知らせて来た。

「遺体は輝之助がつき添って江戸へ運んで来るそうで、手代の清四郎というのが途中まで迎えに行きました」

古河屋から町役人に届けがあり、それより一日遅れて、市太郎は変り果てた姿で小網町へ帰って来た。

本所の麻生宗太郎が「かわせみ」に来たのは、その翌日で、

「お乳はよく飲みますか。お通じに変りはないでしょうね」

と赤ん坊の状態を、母親のるいに訊き、

「これは、母親の滋養になりますから……」

壺に入った蜂蜜を届けてくれた。

ちょうど午餉《ひるげ》の時刻なので、お吉が心得て、るいの居間に膳の用意をし、宗太郎が喜んで箸を取り上げたところに、東吾が講武所から帰って来た。

「早かったですね」

ちょうどよかった、一緒に食べましょう、と宗太郎が誰の家かわからないような言い方をし、慌てて、お吉が東吾の膳を運んで来た。

鰹のたたきに青菜の胡麻あえ、海老しんじょのあんかけと蜆《しじみ》の味噌汁、大根の一夜漬で宗太郎は早速、飯のおかわりをしている。

「旨い飯を頂きながら、こういう話をするのはどうかと思いますが、古河屋の主人が関宿で変死したのを御存じですか」

東吾が答える前に、給仕をしていたお吉が打てば響くように反応した。

「古河屋の御主人、変死だったんですか」

「変死というと、なんだ」

遅れて東吾が訊いた。

「利根川から田に水をひいている堀割の中で遺体が発見されたそうです。行きがかりで昨日、検屍に立ち合いましたが、なにしろ、三日以上も水の中にあったので。その上、この陽気の中を江戸まで運んで来たわけですから……」

東吾が手をふった。

「とにかく、飯を食ってからの話にしよう」

お吉に飯の上に茶をかけてもらって、さらさらかき込んでいる東吾を横目にみて、宗太郎は平然と鰹のたたきに箸をのばしている。

「東吾さん、もし、お菜を残すのなら、頂きますよ」

「飯の途中で、ろくでもない話をはじめた魂胆がわかったよ」

敵の目的はこれかと苦笑しながら、鰹のたたきの皿を宗太郎の膳にのせてやると、嬉しそうに片目をつぶった。

「ひっかかりましたね」

「水んぷくれの死体の話なんぞを聞かされて、鰹のたたきが食えるか」

「かわせみの昼飯は上等ですからね。なんなら、その海老しんじょも、こちらへどうぞ」

「医者のくせに、大飯くっていいのか。養生訓には腹八分というのだろう」

「それは年寄の医者のいったことです」

お吉が腰を浮した。

「鰹もあんかけも、まだ、たんとございます。おかわりをお持ち致しましょう」

東吾が制した。

「俺はもういいんだ」

宗太郎も手をふった。

「手前も、これでけっこうです」

膳の上のものをすべて腹におさめて湯呑を取り上げた。

「水死なのか、古河屋の主人は……」

満足そうな宗太郎を眺めて、改めて東吾が話を戻す。

「少くとも、刃物で斬られたのではなく、毒物が死因でもありません」

「水路というのは、深いんだろうな」

「古河藩からの取調べ書には幅一間、深さ五尺余と書いてありました。もっとも水深はせいぜい四尺足らずだったと、古河屋の養子はいっていましたが……」

古河屋市太郎の死体が発見されたのは関宿で、久世大和守の領地だが、古河屋と古河藩との関係もあって、取調べには古河のほうから役人が出向いて来たらしいと宗太郎はいった。

「古河屋の養子は、古河藩士の弟なのですよ」

それは、東吾も畝源三郎から聞いていた。

「むこうの役人は、なんだといっているんだ」

「おそらく、市太郎があやまって水路に落ちたのではなかろうかと……」

利根川が江戸川と合する関宿の岸辺で、市太郎が高瀬舟を下りたのは、日が暮れてからであった。

「田に水をひく水路というのですから、町屋に近いとは思えません。当然、あたりはまっ暗でしょう。土地に馴れない市太郎がうっかり水路に落ちるということは考えられなくもありません」

「市太郎というのは、小柄なのか」

「五尺六寸余りはあったと思います。しかし、人が自分の背丈よりも浅い所で溺れるというのは珍しいことではないのです」

「市太郎は関宿で人を訪ねる予定だったそうだが、死んでいた場所は、そこへ行く道筋だったのか」

「養子がいうには、そうではないとのことです。しかし、養子にいわせると市太郎がそっちへ行く理由がないこともないと……」

宗太郎が東吾を眺めて、小さく笑った。

「東吾さん、もし、興味があったら、市太郎の件を調べてもらえませんか。実をいうと、手前の父の弟子が古河藩のお抱え医者なのです。その縁で、昨年、古河屋の内儀を診たことがありましてね。今も時折、投薬などをしています。それで、少々は古河屋の内情が耳に入っているのですが、どうも、手前の感じでは、市太郎があやまって水路に落ちて死んだようには思えないのですよ」

話すだけ話して、宗太郎はこれから患家を廻るのだといい、重そうな薬籠を抱えて「かわせみ」を出て行った。

三

麻生宗太郎は古河屋の事件を調べてもらいたいといったが、その時点で東吾にその気はなかった。

江戸で起ったことならともかく、十三里も離れた城下町では、調べようもないと思ったからである。

が、二日程して畝源三郎がやって来た。

古河屋のほうから町役人を通して、なんとか市太郎の死因を明らかにしてもらえないかと願い出て来たという。

「古河屋の女房が、市太郎は殺されたに違いないと近所に触れているらしいのです。それが古河藩の江戸屋敷の者の耳に入って、そちらからも、事実をはっきりさせたいと、内々に御奉行のほうに相談があったようで……」

「源さん……」

庭へ目をやりながら、東吾が応じた。

晩春の穏やかな日ざしの中で、るいが千春を抱いてゆっくり歩いていた。

天気のよい日は、少しずつ、赤ん坊を外の空気に触れさせるようにと、宗太郎にいわれてのことで、東吾も時折、おっかなびっくり抱かせてもらっているが、母親はすぐ危うがって取り上げてしまう。

「古河屋の女房は、誰が亭主殺しの下手人だといっているんだ」

「はっきり口には出しませんが……」

「養子じゃないのか。古河藩の侍の弟とかいう」

「どうして、わかりますか」

「それでなけりゃ、古河藩が事実を明らかにしてくれとはいって来ないだろう」

宗太郎にも頼まれていたんだ、と東吾が困ったようにいい、源三郎が笑った。

「土井大炊頭《おおいのかみ》様の侍医は、天野宗伯先生の高弟だそうですよ」

「世の中、変なところでつながっているんだな」

古河屋の女房の言い分でも聞いてみようか、と、東吾は立ち上った。いつまで待っていても、るいは赤ん坊を抱かせてくれそうもない。

「おい、ちょっと源さんと出かけて来るぞ」

すっかり赤ん坊に夢中な恋女房に声をかけ、東吾は大小を腰に、着流しのまま外へ出た。

男二人が永代橋を渡って、深川佐賀町の長寿庵に寄る。

「古河屋の女房は体を悪くして小梅の寮のほうにいるのです」

その寮は、長助が知っているということで、長寿庵からは男三人連れになった。

日が長くなって来て空は明るく、仙台堀の上を吹く風がさわやかである。

上ノ橋の袂から三人が乗った猪牙《ちょき》は深川の木場の脇を通って崎川橋から左に横川へ入る。

その横川はやがて新高橋で小名木川と交差した。

「古河屋の米は古河から高瀬舟でこの川を通って大川へ出て来るのです」

思い出したように源三郎がいい、それを耳にした船頭が、

「旦那、大島橋まで小名木川を参りますか」

と声をかけ、猪牙を右折させた。

小梅村は竪川の川沿いだから、横川をまっすぐ進んで柳原三丁目、南辻橋のところで

竪川へ出るのが普通だが、この猪牙のように小名木川を横十間川まで下って、船頭のいった通り大島橋を折れてそのまま横十間川を行けば、やはり竪川に交差する。

「本所深川、川ばかりというが、この川のおかげは大きいな」

東吾が呟いたように、関東の、いわゆる地廻り米やその地方の物産の多くが利根川伝いに下りて来て本所深川の水路を経由して江戸の蔵に入る。

そのために幕府は中川の河口に舟番所を設け、鉄砲などの取締りを強化していた。

「考えてみれば、江戸湾を異国の船が塞いでしまったら、あっという間に江戸の台所は干上っちまうんだ。軍艦に乗ってみて、俺にもそれだけはよくわかった。お上が海防をやかましくいうのも無理はないぞ」

「東吾さんのいわれる通りだと思いますよ。我々は水路といえば、海賊を捕えることぐらいしか考えていませんでしたが……」

江戸へ運ばれる諸国の物産をねらって海賊が横行するのも本所深川であった。

「いや、それも大事なお役目だよ」

猪牙は横十間川から竪川へ入っていた。

川沿いに僅かばかりの町屋があるが、その後側は百姓地であった。

五ツ目之橋の袂で舟を上った。

すぐ左手が小梅村で畑地が続く中に、ぽつんぽつんと家が建っている。藁葺きの農家もあるが、茶の木の垣を廻らした瀟洒《しょうしゃ》な家も目立った。

古河屋の寮は小梅村のはずれに近く、片側は林、片側は畑地で閑静には違いないが、いささか寂しい場所でもあった。

「古河屋の女房は、こんな所で養生しているのか」

東吾の言葉に、長助がうなずいた。

「大抵、娘のお伊乃さんがついて来ていますようで……」

「それにしたって、女ばかりじゃ剣呑だな」

「へえ、店のほうから、手代なんぞも泊り込みで来ていることが多いと聞いています」

長助が声をかけると、おそらく古河屋の奉公人だろう、若い男が顔を出した。長助がこちらの用件をいうとすぐにひっ込んだが、

「お内儀《かみ》さんが、お目にかからせて頂きますと申して居ります……」

丁重に招じ入れた。

茶菓が運ばれ、待つほどもなく古河屋の内儀おくめが入って来た。四十二という年齢にしてはやや老けてみえるが、若い頃、武家奉公をしたという名残りが着物の好みや胸高に締めた帯の具合などに表われ、どこかお屋敷風でもある。

母親に付き添って出て来た娘の伊乃は典型的な江戸の町娘で濃い化粧と華やかな衣裳が派手な容貌をひき立てている。

「このたびは、お上にとんだ御厄介をおかけ申しまして……」

と、おくめが挨拶をし、源三郎がそれに対して、市太郎に怨みを持つ者の心当りはあ

るのか、と訊いたが、おくめはうつむいていて返事をしない。

「あんたは養子の輝之助をどう思う。あいつに市太郎を殺す理由があるのか」

いきなり脇から口を出した東吾を、おくめは驚いたように眺めたが、畝源三郎と同じく八丁堀の役人と考えたのか神妙に頭を下げた。

「別に、理由は思い当りませんが……」

隣から娘が口を出した。

「でも、おかしいじゃありませんか。お父つぁんは高瀬舟で古河を発ち、あの人は日光街道を江戸へ向ったっていうのに、どうして関宿へなんぞやって来たのです。関宿は日光街道の道筋ではございません」

東吾が正面から娘をみた。

「そのことを、輝之助に訊いてみたのか」

お伊乃が目を伏せ、小さくうなずいた。

「なんだといっていた」

「古河で別れる時、急にお父つぁんから用事があるから関宿へ来てくれといわれたからと……」

母親も言葉を添えた。

「あたしもそれを聞いた時、変だと思いました。うちの人が輝之助に急用が出来たのなら、その場で話すか、一緒に舟に乗れというか、なにも、別々に関宿へ行くことはございますまい」

「その場で話すには、舟の出発が迫っていて時間がなかったのかも知れない。一緒に舟に乗せようにも、高瀬舟は米俵を満載しているのだ。人一人乗せる余裕がなかったのではないか」

おくめが怨めしそうな表情をした。

「それにしても合点が参りません。舟の出を遅らすことが出来なかったとは思えませんし、さほど急ぎの用事でなければ江戸へ戻ってからでも……」

「市太郎が輝之助を関宿へ呼ぶのは不審だというのだな」

「輝之助のことについて、うちの人が古河へ行く前に申しました。侍の家に生れたせいか、どうしても商人には不似合いなところがある。古河屋の跡取りにするには心配だと……」

「しかし、決めたのだろう」

そのために古河へ行って、正式に輝之助の実家へ挨拶をしたのではないのか、と東吾がいい、おくめは眉を寄せた。

「とんだ疫病神なのでございますよ。始終、古河のほうから金の無心をして参りますし、今度も、うちの人は百両ものお金をあちらへ持って行きました」

「そいつは、輝之助の実家からの注文か」

「輝之助は、最初、三百両、実家へやってくれと申したそうで、うちの人がいくらなんでも、そこまでは面倒をみ切れないと立腹して居りました」

「すると、あんたは金のことで輝之助が市太郎を怨んでいたと考えるんだな」

「うちの人が死ねば、古河屋の身代は輝之助の思うままでございます。うちの人が死んで得をするのは輝之助の他にございません」

「だが、輝之助はお伊乃と夫婦になって古河屋を継ぐのだろう。仮にも女房の父親を殺すか」

お伊乃が顔を上げた。

「あの人なら、やるかも知れません。あたし、あの人の女房になりたくないんです。なんというか、底の知れない所があって……怖《おそろ》しくて……」

急に袂で顔をかくし、声を上げて泣きはじめた。

東吾が先に立ち上り、源三郎が母娘をなだめて、長助と後を追って来た。

さっき、奥へ案内した若い男が門口まで送って来る。

「あんたは、古河屋の奉公人か」

東吾が訊き、若い男は、

「清四郎と申します」

慌てて名乗った。

「あんたはよく、こっちへ来ているのか」

「よく、と申すほどではございませんが、お内儀さんが不用心だと申しますので、お店の用事のない時は、他の者と交替で参ります」

「店から来ない時は母娘二人か」

「はい、お内儀さんが他人がいるのはわずらわしいとお嫌いになりますし、お嬢さんがなんでもなさいますから……」

「みかけによらず、甲斐甲斐しいんだな」

東吾が微笑し、それがきっかけで男三人は小梅村を後にした。

四

男三人が、それから訪ねたのは小網町二丁目の古河屋であった。

主人の野辺送りがすんだばかりの店は、一応、忌中の札をはずしているものの、閑散として、どこか陰気でもあった。

出迎えた番頭に、商売の邪魔をしては気の毒という理由で三人は裏から住居のほうの庭へ入った。

「どうぞ、お上り下さい」

縞の着物に紺の前掛姿の輝之助が勧めたが東吾も源三郎もその気はなくて、縁側に腰を下し、奉公人を遠ざけて、輝之助だけに話をきくことにした。

店へ入る前からの打ち合せ通り、ここでも、まず、源三郎が口火を切り、続いて東吾が訊き役に廻った。

「あんたは、ここの内儀さんや娘が、あんたを疑っているのは知っているのか」

いきなり東吾がいい、源三郎と長助はどきりとしたが、輝之助はそれほど驚いた様子をみせなかった。

「承知していますが、手前にやましいことはございません」

声がそっけなかった。骨太でがっしりした体つきと四角い武骨な容貌がなんとなく粗野にみえるが、緊張した表情に二十歳の若さがのぞいている。

「あんたは最初から古河で市太郎と別れ、日光街道を帰る筈だったんだな」

東吾が念を押すようにいい、輝之助が角ばった顎をひいた。

「そうです」

「何故、関宿へ行った」

「親父様が急に、自分は舟で関宿へ行くが、お前は間道を通って関宿へ来い、舟着場のあたりで待ち合せようといわれたのです」

「それを、あんたの他に聞いた者はいるのか」

「居りません。手前は朝から舟に米俵を積むのを手伝って居りました。親父様は多分、藩の御係の方にでも挨拶に行ったのではないかと思いますが、舟が出るさだめの刻限ぎりぎりに来られて、手前に関宿へ来いということをいわれました。その時、船頭達はすでに舟に乗って居りましたから、まわりには誰も居りません」

「で、あんたはどうした」

「舟を見送りまして、その足で古河を発ちました。馴れない道を行くので、間に合わないのではないかと急ぎました」

古河から関宿まで陸を行くには大堤から下辺見へ出て、そこから道を逸れて磯辺、釈迦、水海、塚崎と行き、境町へ出て、利根川を渡って関宿へ入る。

「およそ三里半と聞きまして日の暮までには充分、たどりつけるとは思いましたが……」

途中で道に迷い、結局、利根川の渡しを越えた時には夜になっていた。

「舟着場へ行ってみますと、ちょうど関宿から江戸へ向う夜舟が出るところで、暗いので、てっきり、それが手前共の舟かと追いかけたのですが、途中で気がつきまして、また戻って来ました」

なんとか古河屋の米俵を積んだ高瀬舟をみつけて下りて行くと、船頭達が大さわぎをしていた。

「親父様が行方知れずと聞きまして、これはてっきり、手前を探しに行かれたのかと思い、利根川べりをかけ廻りました」

結局、どう探しても市太郎はみつからず、

「これ以上、舟を遅らせては具合が悪いので、手前があとに残って親父様を探すことにし、舟は江戸へ向ってもらいました」

「それから、どうした」

「一緒に親父様を探してくれた木村清兵衛どのが家へ来るようにといって下さいました

ので、泊めてもらいました」

翌日は境町のほうまで探しに行ったという。

「親父様が落ちていた堀のところも何度も通って居りました。よもや、あのような場所で歿《なくな》っているとは夢にも思わず、のぞいてもみませんでした」

流石に声をつまらせた。

結局、三日目に百姓が水路の中の市太郎をみつけて、そのさわぎが問屋場に聞え、清兵衛の店の奉公人が輝之助に知らせて来た。

「ところで、あんたは市太郎があやまって堀に落ちて死んだと思っているのか」

輝之助が額に青筋を立てた。

「お役人様も、手前が親父様を殺したとお思いですか」

東吾が笑った。

「あんたでなけりゃ、盗っ人の仕事ってこともあるだろう」

「盗っ人の筈はありません」

「ほう」

「親父様の懐中には百両もの金が手つかずでございました。盗っ人ならそれを見逃すわけがございません」

「百両が懐中にあったのか」

「そうです」

「そいつは、あんたの兄貴が無心したのではなかったのか」

輝之助がまっ赤な顔になった。

「冗談もほどほどにして下さい。兄は無心などして居りません」

「しかし、内儀さんはいっていたぞ。始終、金の無心が来ると……」

「たしかに、親父様から三十両ほど用立てて頂いたことはございますが……」

三年前、古河の実父が長患いのあげく死んだ時だといった。

「兄の窮状をみかねまして……親父様は香奠だとおっしゃって下さいました」

「それだけか」

「あとにも先にも、手前がこの家へ参りましてから、それ一度きりでございます」

沈黙が流れた。

輝之助はうつむいて両手で両膝を握りしめるようにしている。

縁側から腰を上げて、東吾が思いついたふうにいった。

「あんた、これから、どうする」

「わかりません」

声がかすれた。

「お伊乃と一緒になって、この店をやって行くか」

「それは無理です。お伊乃さんは手前を好いて居りません。そのことは、古河へ参ります道中、親父様にも申し上げました。夫婦になっても、さきざきうまく行かないのではないかと……」

「市太郎は、なんといった」

「なんにも……ただ、ひどく考え込んでいらっしゃいました」

送ろうとする輝之助を制して、庭から裏木戸を出た。

店の前を通ると、番頭が気がついてとび出して来た。不安そうな表情をみて、東吾がいった。

「ここの旦那は百両を懐中したまま見つかったそうだな。その金はなんの用だったんだ」

番頭が店をふりむき、声をひそめた。

「若旦那の御実家へ……」

「しかし、帰りの関宿で、持っていたんだぞ」

輝之助の実家へやる金なら、当然、古河で渡した筈だ。

「たしかに、不思議なことで……」

「旦那は、輝之助の実家へよく金をやっていたのか」

「それはもう、旦那様が古河へいらっしゃる度に、必ず……」

「旦那は、始終、古河へ行っていたのか」

「毎度ということはございませんが、この節は一年に一、二度……」

「それ以前は……」

「お若い時分は高瀬舟の来るごとに……」

多い時には、四、五回になったといった。

「お供はついて行くのか」

「いえ、いつも、お一人でございました」

番頭が店のほうを気にし、東吾はあっさり放免した。

夜道を歩き出しながら、長助が遠慮がちにいった。

「やっぱり、お内儀さんのいうように、輝之助が悪心を起したんじゃございませんかね」

折角、大店へ養子に入ったものの、女房になる筈の家付娘は自分を嫌っている。おまけに実家からは年中、金の無心で肩身が狭い。

「市太郎旦那が古河で引導を渡したんじゃありませんか。もうこれ以上、金は出さねえ。とすると、案外、輝之助の兄さんなんてのもぐるかも知れません」

源三郎が黙々と歩いている東吾へいった。

「東吾さんは、どう思いますか」

「俺にも、さっぱりだが……」

もし、輝之助が下手人なら、どうして百両を市太郎の懐中に残したのだろうといった。

「金を取り上げておいたほうが、盗っ人の仕業で片付けられねえかな」

長助に、古河屋の内儀について調べてくれと命じた。

「古河屋へ嫁に来る前はどこに奉公していたのか、いくつで市太郎の女房になり、祝言をあげたのはいつか」

ついでに娘のほうも頼むといわれて、長助は張り切って頭を下げた。

五

長助の報告を源三郎が「かわせみ」へ持って来たのは三日後のことで、

「面白いことがわかりましたよ」

書き出して来た半紙を東吾の前へおいた。

それをみると、おくめが嫁入りまで奉公していたのは古河藩の重役で下部武大夫といい、当時は江戸在勤中であった。また、おくめを古河屋へ取り持ったのは、やはり古河藩の勘定方を勤める高橋六左衛門で、当時、おくめは二十二歳、市太郎は三つ上の二十五歳であるという。

「古河屋の番頭や親類を聞いて廻ったところ、祝言をあげたのは二十年前の秋十月で、翌年、お伊乃が生まれています。ただ、お伊乃の生まれた日がはっきりしないので、長助は古河屋の番頭から、お産は小梅の家のほうですませたとき、あの界隈の産婆を当ったそうですが、なんとその産婆のいうには、お伊乃は春三月三日、雛の節句に誕生しているとのことで……」

女の子で桃の節句に生まれたのは縁起がいいと思い、それが記憶に残っていた。

「十月に嫁入りして、その翌々年の三月か」

「いや、翌年です。お伊乃は亥年で、それでお伊乃とつけたといいますから……」

「十月で三月か」

「月足らずですな」

「いくらなんでも五カ月では育たんだろう」

「念のため、産婆に聞いてみました。とても無理だと……」

酒を運んで来たお吉が聞きとがめた。

「なにが無理なんですか」

「十月に祝言をあげて、三月に子が生まれたんだ」

お吉があっさりいってのけた。

「そりゃあ、お腹が大きくなりかけて、慌てて祝言をあげたんですよ」

東吾がくすぐったそうな表情で源三郎を見た。

「市太郎とおくめが、祝言前からそういう仲だったと思うか」

「違うでしょうな」

「すると、お手付を承知の上で貰ったか」

「古河屋は古河藩あっての米問屋です。もし、重役からこれこれだと打ちあけられて頼まれたら断りにくいでしょうな」

考えられるのは、おくめの主人、下部武大夫が妻子を国許においての江戸在勤中だっ

たことで、

「まあ、起り得ることですよ」

お吉が傍にいるので、男二人は真面目に話そうとしても、つい、口許がゆるんで来る。

「取り持ったのが勘定方というのも納得出来ますね」

勘定方はいわば藩の財政を担当するので、藩米を売りさばく古河屋とは密接な関係にある。

「源さん、こいつは瓢簞から駒が出るかも知れないぞ」

市太郎におくめを取り持った高橋六左衛門が今、江戸藩邸にいるのか、それとも在国か。

「どっちにしても、そいつに問いただしてもらいたい」

東吾がちらとお吉を眺め、お吉は止むなく重い腰を上げて出て行った。

「それから、もう一つ、関宿の、市太郎の従兄の……」

「木村清兵衛ですか」

「そこへも使をやって……」

ひそひそと相談がまとまったところへ、るいが入って来た。

「お吉がむくれていますよ。どうせ私は口が軽いから、畝様も東吾様もお役目のことになると邪魔っけになさるって……」

なんのお話だったんです、とるいにさしのぞかれて、東吾は大きく手を振った。

「そいつは、源さんの調べが終ってのおたのしみさ」

そして十日。

小梅の寮からおくめとお伊乃母娘が奉行所へ呼ばれ、きびしい取調べを受け、遂に市太郎殺しを白状した。

「源さんは智恵者だよ。市太郎が古河へ発ったあと、手代の清四郎というのが、小梅の寮に呼ばれて、五日以上も店へ戻らなかったというのを番頭から聞き出して、清四郎を番屋へ呼んで、ちょいと脅したら、あっさり白状しちまった」

あの色のなまっ白い手代は、どうも気になったんだと東吾は晩酌の盃を手にして、るいとお吉に謎ときをはじめた。

「清四郎という奴、お伊乃に惚れてやがった。そこをつけ込まれて、主人殺しをひき受けたのさ。小梅にいるとみせかけて、こっそり江戸から舟で関宿へ行く。市太郎が従兄の木村清兵衛のところへ帰りに寄るのはわかっていたので上陸して来るのを待ち受けていて、船頭達のみえない所で声をかけ、さも急用で江戸から来たようにいいつくろって、あの水路の所へ誘い出して突き落したそうだ」

成功すればお伊乃と夫婦にして古河屋の主人にしてやるといわれてその気になったものの、

「根っからの悪党じゃねえから、主人殺しに怯えちまって、夜もろくろく眠れなかったようなんだ。考えてみりゃ気の毒な話さ」

ところで、おくめが何故、亭主殺しを決心したかといえば、

「市太郎にかくし子がいるのが、わかったからなんだ。つまり、かくし子っていえば、そいつを産んだ女もいるわけでね」

東吾が目をつけたのは、死んだ市太郎が懐中していた百両で、もし、それが輝之助の実家へやる金なら、関宿まで持っているわけがない。

「だから、金は関宿にいる誰かにやる筈だったと考える」

市太郎は古河米が江戸へ来る時、或いは米に関する打ち合せのために、年に何度も古河へ出かけている。

「番頭の話だと、その都度、大枚の金を持って行く。番頭は輝之助の実家へ渡す金と思っていたが、輝之助はそんなことはないという。おくめが亭主に女がいると気がついたのは、輝之助にお前の実家は金食い虫だと、嫌味をいった時、輝之助が反論したのがきっかけだったそうだ。養子の実家が金を無心していないのならば、何故、亭主は古河へ行く度に大金を持ち出すのか。女房ってのは、こういうことには気が廻るのさ」

市太郎の女は、東吾の推量通り、関宿にいた。

「木村清兵衛の女房の遠縁で、清兵衛の店で働いていた。そいつを市太郎が見染めたのさ」

自分は古河藩との関係から、重役のお手のついた女を女房にした。生まれた子も自分の子ではない。

「そこに、本当に惚れた女が出来た。おまけに娘も生まれたんだ。男にしてみたら、金も運びたくなるだろう。なんとか、江戸へひき取りたいと考える。しかし、女房は古河藩とゆかりがあるし、娘も古河藩の重役の血をひいている。迂闊なことは出来ない。その枷がはずれたのが、高瀬舟で古河を発つ朝だったんだ」

宿へ知らせが来て、下部武大夫が病死したと聞いた。

「市太郎は早速、屋敷にくやみに行った。下部家の未亡人は勿論、亡夫の、その昔の江戸での不始末は御存じない。跡継ぎにしたって同様だ。仮におくめがこれこれだったと名乗って来ても、奥方も跡継ぎも相手にする筈はない。それがわかった時、市太郎は輝之助を関宿にいるほうの娘と夫婦にしたいと考えたんだ。だから、輝之助に関宿へ来いといった。要するに二人を会わせてみようと思ったのさ。しかし、その前に清四郎に殺された、と、まあ、こんなわけだが……」

気がついて、東吾は空になったままの盃を眺め、二人の女を見廻した。あるいはそ知らぬ顔で赤ん坊の肌着を縫っている。お吉はせっせと襁褓《おむつ》をたたんでいる。

「おい、俺の話、聞いているのか」

いいかけて、東吾ははっとした。

自分が完全に無視されているのは、どうやら、こないだからの男同士の内緒話のしっぺ返しらしい。

こいつはまずいと思いながら、とりあえず手酌で飲んだ。

こんな時、千春でも目をさましてむずかればれ、おお、よしよしととんで行って抱き上げて、そこで女達の無言の行も破れるに違いないのに、隣の部屋のちび姫は天下泰平に眠り続けている。

この分では、間もなく徳利の酒もなくなる筈で、東吾は自分の長広舌を後悔しながら、上目遣いで女達の顔色を窺った。

初夏の夜、大川のほうから櫓の音がゆったりと聞えている。

日暮里《にっぽり》の殺人《さつじん》

一

上野、寛永寺の裏手、御隠殿のあたりから、ゆるやかな台地が広がって、道灌山までの一帯は、晴れていれば筑波山から日光連山が見渡せ、南にひらけている麓には、社寺の塔頭《たっちゅう》が点在している。

それを廻《めぐ》って大小の築山や、さまざまの樹林が趣きを添え、春は花見、夏は水辺の蛍狩、秋は紅葉、冬は雪の風情を楽しむ人々が、あまりに美しい景色に日の暮れるのを忘れるというところから、ひぐらしの里の名がついた。

梅雨入りにはまだ少し早い六月の初め、その日暮里で月見寺と俗に呼ばれている、日蓮宗の本行寺の境内にある物見塚の脇に、初老の男が倒れているのを参詣客が発見した。

男は後頭部を何か固いもので強くなぐられたらしく、おびただしい血が首筋から背中にこびりついていて、すでに絶命していた。

　ところで、参詣客の知らせでかけつけて来た本行寺の住職は、死んでいた男の顔に見憶えがあった。

「この節、何度か参詣に来られて居る。名は確か、徳兵衛どの。大川端町のかわせみという宿に滞在しているといっていなさった」

　という住職の言葉に、谷中からかけつけて来た御用聞の左吉は、とりあえず御寺社のほうへのお届けをすませると、番屋の表戸を開けて定廻りの旦那の通りかかるのを待った。

　一方、大川端の旅宿「かわせみ」では、泊り客の森川徳兵衛という者が前夜、とうとう帰って来なかったので、番頭の嘉助が八丁堀の畝源三郎の屋敷までその旨を知らせていた。

　で、神林東吾が軍艦操練所の勤務を終えて「かわせみ」へ戻って来ると、帳場のところに畝源三郎が来ていて、るいと嘉助が沈痛な表情で宿帳を眺めている。

「やはり、徳兵衛に異変があったらしいな」

　今朝、嘉助が八丁堀へ出かけて行ったのは知っているので、

「まさか、殺《や》られたんじゃあるまいな」

　眉を寄せて訊いた。

「その、まさかですよ」

嘉助を日暮里まで同道して、首実検をすませて来たところだと、源三郎が答えた。

「本行寺の裏山の物見塚という、なんでも、その昔、太田道灌が築いた見張り台の跡とかいう、ちょいと小高いところなんですが、そこへ上って行く道のすみに倒れていまして、みつかったのは今朝、といっても午《ひる》に近い時刻だったようです」

死因は頭に石かなんぞでなぐられたような痕があり、検屍の医者の話だと、少くとも、半日は経っているだろうとのことであったと、源三郎が説明した。

「所持品は一応、ここに並べてみたのですが……」

手拭が一本、煙草入れ、懐紙。

「財布がないな」

嘉助がすぐに答えた。

「徳兵衛さんは、昨日、お出かけになる前に、帳場にあずけてある金の中から五両ほど出してもらいたいとおっしゃいまして、お渡ししました所、手前のみている前で三両を半紙に包み、二両を財布に入れて、その二つを手拭の間にはさみ込んでしっかり懐中なさいました。それで、掏摸《すり》にお気をつけなさいましと申しましてお見送りしたので……」

「出かけて行ったのは、何刻頃だ」

「ぼつぼつ、午といった時分で……あちらはいつも駕籠はお使いになりません。在所の者はどこへでも歩いて行くと……」

日本橋川のほうへ向って、さして急ぐ様子もなかったといった。

「森川徳兵衛は川崎の庄屋だそうで、そちらにはもう知らせをやりましたから、明日、明後日には家族がかけつけてくるでしょう」

徳兵衛の遺体は、とりあえず本行寺のほうに仮埋葬してもらってある、と、例によって畝源三郎の手配は行き届いている。

「ところで、徳兵衛はなんの用で江戸へ出て来ていたんだ」

東吾が訊き、るいが答えた。

「あちらは馬喰町の藤屋さんの御紹介で、うちへおみえになったのは一昨年からですけれど、年に一度は江戸へお出でになって、御領主の松平内蔵助様のお屋敷へうかがうのだとか……」

松平内蔵助は旗本だが、川崎の在に親代々の知行地があり、それを森川徳兵衛が管理しているらしい。

「毎年、田植えが終った頃に徳兵衛さんが出て来て、秋の稲刈りがすむと、松平様の御用人が川崎へ行かれるそうですよ」

東吾が宿帳を取り上げた。

「徳兵衛が出て来たのは、四日だな」

今日は十日だから七日も滞在していることになる。

「いつも、そのくらい泊って行くのか」

「いいえ、今も嘉助とその話をしていたのですけれど、昨年は四日、その前の年は三日のお泊りでしたの」

「今年は随分、長いんだな」

嘉助がうなずいた。

「手前には、少々、別の用事もあって、とおっしゃいましたが……」

その用事については、何も聞いていない。

「昨日、出かける時に、三両を紙に包んだというのが気になるな」

その三両も、財布の金も殺された徳兵衛の懐中にはなかった。

「御寺社では、物盗りの仕業といっていますが、手前は違うような感じを持ちました」

川崎からやって来る家族から、何か手がかりのようなものが聞けるといいと源三郎は考えている。

「物盗りじゃなさそうだな」

徳兵衛の遺品の煙草入れを手に取って、東吾もいった。

印伝の上物だし、銀煙管も悪くない。

「人を殺して財布を盗む奴なら、この煙草入れを残して行くのは不自然だよ」

徳兵衛の人柄はどうだったと東吾がいい、るいが苦笑した。

「お吉の話ですと、大変な世話好きだそうですよ。はじめてお泊りになった年に、うちの若い女中に、川崎へ嫁に来る気があるならいい聟《むこ》を世話してやろうとおっしゃったとかで……」

「冗談半分だろう」

「いいえ、それが本気なんですって。男ぶりのいいのが好きか、男は外見《そとみ》じゃない、実直なのが一番だと、なにかにつけて講釈をなさるんで、女中達は煙たがっていたみたいです」

「年は五十六か」

そのくらいになると、誰しも少々、お節介の世話焼きになるのかも知れないと東吾は笑って宿帳を嘉助に返した。

賑やかな笑い声がして、千春をおんぶしたお吉が風車を手に帳場へ入って来た。

「八丁堀まで参りましたら、ちょうど神林の殿様がお奉行所からお帰りのところにぶつかりまして、殿様があやして下さったら、千春様がそりゃよくお笑いになりましてね」

よくよく感激したらしく、お吉は赤い顔をして報告する。

「兄上が赤ん坊をあやすなんてのは、みたことがなかったな」

「そりゃあ、お上手でございましたよ。若先生が、お子が好きなのは、兄上様ゆずりでございますね」

「俺は、たしかに子供好きだが……」

謹厳な兄の日常に、子供と遊んでいるような風景は似つかわしくない。

だが、兄の優しさは誰よりも東吾が知っていた。

「そういえば、俺が赤ん坊の時、兄上が俺を抱きたがって困ったと、乳母から聞いたことがあったな」

その兄夫婦には、未だに子が出来ない。

この二、三年はどうやら兄も兄嫁もあきらめているようなのに、東吾も気がついていた。

このままだと、将来、神林家は千春に聟を取って継がせることになりかねない。

「よかったよ。るいが千春を産んでくれて」

お吉の背中から千春を抱き下して、東吾はその柔かい顔に頬ずりをした。

二

森川徳兵衛の死体が発見されて二日目に、川崎から遺族が「かわせみ」へ到着した。

徳兵衛の娘聟の源造と、庄屋の手代をつとめている、徳兵衛の甥の森川吉三郎の二人で、早速やって来た畝源三郎が徳兵衛の殺された状況について説明したが、どちらも信じられない顔付であった。

「親父様は村中の者から有徳人といわれるほど情深いお方で、他人様《ひとさま》の面倒もそりゃあよくみていなさいます。有難く思う者はいても悪くいう者は一人も居ねえ。そんな人が、なんで非業に死になすったか」

と娘聟の源造がいえば、吉三郎も、

「なにかの間違いではねえですか」

不安そうに繰り返している。

その夜は「かわせみ」に泊って、翌日、何度も畝源三郎をわずらわすのも気の毒だと、東吾が長助に声をかけ、自分で日暮里の本行寺へ源造と吉三郎を伴って行った。

一つには、東吾も徳兵衛の殺害された現場をみておきたいと思ったからである。

大川を猪牙で上って山谷堀へ入り、左に吉原を眺めてひたすら漕いで行くと御行の松がみえて来る。

このあたりが根岸と呼ばれる所で、上野の宮様のお住居もある閑静な風景が広がっている。更に行くと川の南に天王寺の塔があり、一行はその近くで舟を下りた。

本行寺は天王寺の近くだが、道はやや上り坂で、その一帯は日暮里の台地の麓といった感じで、多くの寺が点々と建ち並んでいる。

長助は、この前、徳兵衛の死体が発見されて、畝源三郎が「かわせみ」の嘉助を首実検に連れて行った時も同行したし、そのあとの始末もしているので、本行寺の坊さん達とは顔馴染であった。

徳兵衛の遺体は本行寺の裏手の墓地に仮埋葬してあり、寺男が棺桶を掘り出して源造と吉三郎にみせたが、二人とも忽ち蒼白になって、殆ど目を廻しかけている。

なにしろ六月のことで、この二、三日はそれほど気温は高くならなかったとはいえ、遺体は傷みはじめていて、坊さんがいくら線香を焚いたところで腐臭はかくし切れない。

寺男のほうも心得ていて、人心地もないような二人に、こちらで焼いて、骨にして川崎へ持って帰るように話をしている。

それが決って、坊さんが源造と吉三郎を納所《なっしょ》へ連れて行ってから、東吾は長助を案内役にして、徳兵衛が殺害されていたという物見塚へ行ってみた。

そこは本行寺の裏から登り道になっていて、物見塚という名称通り、やや小高い山のような場所で、そのむこう側は崖であった。

頂上からは田畑や林、そして小川が幾筋にもなって道灌山の周囲を廻《めぐ》っているのが見渡せる。

「なんだか、盆石のような景色だな」

東吾が呟《つぶや》き、長助に訊いた。

「徳兵衛は、ここへ来るのに、本行寺の境内を抜けて来たのか」

「おそらく、そうだろうってことになりましたが、本行寺のほうでは、徳兵衛の姿をみて居りません」

徳兵衛の死体が発見されたのが今月十日、殺害されたのは前夜の中《うち》と推定されている。

その九日に、本行寺では誰も参詣に来た徳兵衛に会っていないという。

「住職さんの話ですと、徳兵衛は七日、八日と二日続いて方丈へやって来て、寺の来歴を訊いたり、世間話をしているんだそうでして、寺のほうも、まあ三日も続けて訪ねて来ることはあるまいし、仮に来たとすれば、方丈へ顔を出さないことはなかろうと申して居ります」

とはいえ、実際、徳兵衛の死体は本行寺の物見塚にあったわけであり、二日続けて方丈に顔を出したからといって、三日目にも必ず挨拶に行くとは限らない、と長助はいった。

本行寺は一応、塀をめぐらしてあるが、門は二つあり、裏は山に続いていて、例えば物見塚の下の畑地から崖を上って来る道のほうには門も垣根もなかった。

「門番が参詣人を見張っているわけでもございませんし、坊さんの知らない中《うち》に徳兵衛が境内を通り抜けて物見塚へ行ったってことは不思議じゃあございますまい」

「物見塚というのは、参詣人のよく行く所なのかな」

物見塚から本行寺の方丈へ下りて、東吾は住職に訊ねた。

「太田道灌様の遺跡と申すこともございますが、あそこから月を眺めますと、まことに絶景でございまして……」

月光の中に浮び出た日暮里はこの世のものとも思えない美しさだと住職は自慢した。

「十五夜には、よく皆様がお集りになります」

もう一つ、この寺の先代の住職が俳人の小林一茶と親しかったことがあり、一茶が本行寺の句会で、

　かげろふや道灌どのの物見塚

という句を詠んでいるところから、俳句をたしなむ者は、そのために物見塚まで足を運ぶことが多いという。

「見晴しのよい所でございますから、あそこまでいらっしゃるお方は少くないとは思いますが、そう何度も上って行かれるほどのことはないので……」

「徳兵衛は七日、八日と続けてこの寺へ来たそうだが、物見塚へは上ったようだったか」

「最初、方丈へおいでなさいました時に、寺の由緒をお訊ねになりましたので物見塚の話も致しましたところ、早速、行ってみようとおっしゃいましたから……」

　上ったところを見たわけではないが、おそらく見物しただろうという住職の返事に東吾は考え込んだ。

「徳兵衛は二日も方丈へ来て、話し込んだそうだが、いったい、どのような……」

「どのような、と申されましても……まあ、御自分が川崎の在で庄屋をしているとか、おつれあいはもうお歿りになって、一人娘さんに聟をとったとか……日暮里というのはどこからどこまでをいうのかなぞといったとりとめのないお話で……」

　格別、変ったことはなかったがと、住職は少々、わずらわしい表情をみせた。

　本行寺にしてみれば、寺内で人殺しがあった上に、役人だの御用聞が何度もやって来て似たようなことをしつこく訊かれるのは、もういい加減にしてもらいたいというのが本音のようである。

　帰りがけに寺男にも訊いてみたが、この寺の門には扉がなく、夜中、誰でも境内へ入れるし、逆に本堂や方丈は日が暮れると閉めてしまうので、暗くなってから誰が物見塚へ行こうと坊さん達にはまずわかるまいといった。

「どうも、まるっきり手がかりはないな」

長助をお供にして、東吾は本行寺の周囲を一巡したが、物見塚の崖っぷちで近くの腕白どもが棒切れをふり廻して合戦ごっこをやっているぐらいのもので、人通りは殆どない。

源造と吉三郎は本行寺で、徳兵衛のために供養のお経をあげてもらい、骨壺を抱えて帰途についた。

往きは茫然自失の体だった源造と吉三郎も、徳兵衛が骨になったことで現実にひき戻されたようで、徳兵衛を殺した下手人について手がかりがないのか、しきりに長助に訊いている。

「親父様は、とても用心深いお方でございました。あのような寂しい所に、何故、夜になって行かれたのか不審でなりません」

という源造に、東吾は改めて訊いた。

「徳兵衛は川崎を出る時は、およそ何日ぐらいに戻って来るといったのか」

「他の用事もあるので、二、三日よけいに江戸に滞在するかも知れないと申されました」

「他の用事とは……」

東吾に反問されて、源造は当惑そうにちらと吉三郎へ視線をやったが、

「さあ、それ以上のことはなんにも……」

体を縮めるようにしてうつむいてしまった。

「どうにも埒があかねえな」

「かわせみ」へ帰って来て、東吾は少々、憮然とした顔でるいにいった。

「徳兵衛は川崎を出る時、娘聟には松平家へ挨拶に行く他に少しばかり用事があるから二、三日遅くなるといっている。その用事って奴が、嘉助にも他の用事があって例年より長逗留になるといっていったそうだ。その用事って奴が、おそらく徳兵衛の命取りになったんじゃねえかと思うんだが、あいつら、本当に知らねえのか、知ってても言えねえのか、口をつぐんじまっているんだ」

無理に口を割らそうと思えば出来ないこともないが、

「まあ、下手人でもないのに、ぶっ叩くわけにも行かねえな」

今夜じっくりと思案して、話す気になってくれればと東吾は僅かな期待を持ったが、

翌早朝、源造と吉三郎は、

「お世話になりました。一日も早くむこうで野辺送りを致してえと存じますので……」

そそくさと「かわせみ」を出立して行った。

「どうも、後味《あとあじ》がよくねえな」

東吾は忌々《いまいま》しいと舌打ちしたが、畝源三郎は長助に命じて、根気よく、九日の朝、徳兵衛が「かわせみ」を出てからの足取りを調べさせている。

といっても、いくら聞き込みに歩いても、徳兵衛のような男が、どっちへ向って行ったなどという目撃者は現われなかった。ごく変った服装《なり》でもしているか、奇妙な行動でもしない限り、繁華な江戸の町では人目につくことはない。

で、長助はもっぱら日暮里界隈を廻っては徳兵衛らしい男をみかけなかったかと聞いている。が、こちらは閑静な場所ではあるが、なにしろ江戸名所図会に出て来るような行楽地だから、知らない顔の人間が始終、散策に訪れるのが当り前で、長助の苦労もさっぱり実らない。

そして三日後、長助がとんでもない知らせを持って来た。

源造と吉三郎が本行寺へやって来て徳兵衛の骨壺をあずかってくれといい、それっきり姿をみせないが、どうしたものかと、住職が困っているという。

源三郎に東吾が同行して本行寺へかけつけて訊いてみると、二人がやって来たのは、「かわせみ」を出たその日の朝で、時刻からすると大川端からまっすぐ日暮里へやって来たものと思われた。

「この近所に、有名な松はないかと訊かれますので御行の松かと申しましたら、そうではなく円座の松というのだと……。たまたま、経王寺の住職が来て居りまして、円座の松ならば青山の竜岩寺の庭のではないかと申しまして……そういえば、前にも円座の松のことを訊ねた人があった。その人は円座の松のある寺は日蓮宗かと訊くので、あそこはたしか臨済宗で、但し、日蓮宗の寺なら、その近くに仙寿院というのがある。その庭はこの日暮里に似せて造られた名園で、俗に新日暮里というとお教えした、とそのお二人に話しましたところ、骨壺を手前どもへあずけ、夕方までには取りに来るからと、慌しく出て行きました」

といわれて、源三郎と東吾、それに長助がついて、まずすぐ隣の経王寺へ向った。

経王寺の住職に問いただしてみると、以前、円座の松について訊ねた参詣客の人相、年頃からして、どうも徳兵衛という感じがする。経王寺の住職はかなりの老年で、その男が経王寺へ来た日を正確には記憶していなかったが、どうも、今月の七日か八日か、そのあたりだったと確かめて、三人は青山へ足を伸ばすことにした。

日暮里から青山まで、けっこうの道のりをさして苦労にも思わず、道順で最初に竜岩寺へ行ってみた。

ここも、なかなかの庭園で、築山をめぐらし渋谷川からひいた水で広い池には風雅な小橋が架っている。

「いわれて見りゃあ、ここも小さな日暮里でございますね」

長助が感心し、三人の男は庭の中央のあたり、何人かの参詣客が眺めている松の木の所へ行ってみた。

それが、青山名物の円座の松で、一本の松が枝をまるで笠のように広げているのが見事であった。それらの枝の下には突っかい棒のような添え木が無数にあって、まるで松の木が沢山の杖を突いているような恰好である。

「これだけにするには、始終、手入れが必要でございまして……」

近くで、この寺の僧らしいのが、参詣客と話している。実際、木の下には植木屋がいて、余分な松葉を一つずつ、手でつまみ取る作業をしていた。

「ああなると、盆栽みてえなもので……」

長助の呟《つぶや》きを背に、畝源三郎は僧に近づいて、三日前、二人の男がこの寺へ来なかったかと訊いた。

「足ごしらえをした旅姿のお方が二人、おみえになりまして、仙寿院はどこかとお訊ねになりました」

それは、この寺を出て、渋谷川に架る橋を越えたあたりだと教えると、二人は礼をいって出て行ったという。

「近在から出て来られたような、素朴な感じのお二人でございましたが……」

てっきり、源造と吉三郎に間違いはなかろうということになって、東吾達も教えられた仙寿院へ急いだ。

渋谷川を渡ると、大きな植木屋があり、十軒ばかりの門前町の先に仙寿院がある。

こちらは竜岩寺の十倍はあろうかと思われる敷地を持ち、それが小日暮里と呼ばれる大庭園となっていた。

惣門からは上り坂になり、行く手に大きな屋根付の中門がある。

中門から敷石が長く本堂まで続き、その右に方丈の建物がある。

庭は本堂を中心に広がって居り、背後には自然の築山がいくつもあって弁財天の祠や風雅な御堂など小さな建物の点在する道には桜樹が多い。

寺の前庭には、竹林やよく刈り込まれた植木がよい具合に配置され、行く人の目を飽きさせない。

方丈で訊ねると、やはり源造と吉三郎らしい二人連が訪ねて来たといった。

「ここの庭園の手入れをするのは誰だと訊かれまして、門前の植木屋だといいましたら、そちらのほうへ……」

なんだか知らないが、ひどく逆上している様子がおかしかったとつけ加えた。

道を戻って渋谷川のふちの植木屋へ行った。

男達は仕事に出かけているらしく、やや耳の遠い老婆が留守番をしている。

「そういえば、男が二人、訪ねて来て、うちで働いている職人のことを訊きてえといっていたが、爺様がここで働いている者はみんな俺の悴と親類の者で、他国者は居らんといいなすったで、去《い》になさっただ」

東吾が訊いた。

「他国者はやとっていないのか」

「人手は足りているでね」

「みんな、今日はどこへ仕事に出ている」

「井伊様の下屋敷へ、爺様と一緒に行ったがね」

にいる」


「何人で行った」

「爺様と二人の悴と甥っ子が一人だ」

「みんな、この家に住んでいるのか」

「下の悴は独り者だで、一緒に暮しているが、あとの二人は世帯持ちで、どっちも近くにいる」

「そりゃあいいなあ」

所在なく三人は渋谷川を渡った。

川のむこうには水車小屋がいくつかあって、のどかな風景であった。水車小屋の脇で洗い物をしている女の姿も、江戸の繁華な中からやって来た者の目には珍しい。

「どうも、糸が切れたな」

源造と吉三郎が誰かを探してここまで来たのは間違いなかった。

しかも、彼らが探している男というのは植木職人のような気がする。

「その相手はみつかったのでしょうか」

源三郎がいい、東吾は暗い顔をした。

「みつからなけりゃあ、本行寺へ戻って骨壺を受け取っているだろう」

「じゃあ、みつかったんで……」

と長助。

「問題はそのあとなんだ。みつかった結果、どうなったのか」

「しかし、あそこの植木屋では身内の者しか働いていないと申しましたが……」

源三郎が川のむこうをふりむいた。

「あそこ以外にも植木屋はあるだろうな」

この附近は井伊家、内藤家、岡部家と大名の下屋敷が多いし、社寺の数も少くない。

畑地で植木を育てている所もあちこちにみられるし、岩石を積んである店もあった。

そうした植木や石を江戸の富商の庭へ運んで商売をしている者の多くは、百姓仕事の傍らにやっているので、そういった意味での植木屋ならば、青山から麻布にかけて、どのくらいいるかわからなかった。

渋谷川のむこう側は御府外でもある。

「しかし、少くとも、徳兵衛は新日暮里と、有名な松のある日蓮宗の寺というのをめあてに、青山へ来たんだ」

それと、最初、徳兵衛は新日暮里を谷中の日暮里とかん違いしていた節がある。

「二日続けて本行寺へ顔を出しているのが、その証拠だ。たまたま、経王寺の住職の口から青山の新日暮里のことがわかって青山へ来たのじゃないのか」

念のために、竜岩寺に寄って、徳兵衛の人相風体をいい、そうした男が訪ねて来なかったかと訊いてみたが、こっちは日が経ちすぎているせいもあるのか、心当りがないといわれた。

「もし、東吾さんのいわれるように、九日に徳兵衛が青山へ来たとして、何故、徳兵衛の死体が日暮里の本行寺の物見塚にあったのでしょう」

源三郎が首をひねり、東吾は沈黙した。

谷中と青山では、あまりに遠い。

三

源造と吉三郎の行方が知れないので、万に一つ、川崎へ戻ったのかとも考えて、畝源三郎が問い合せの使をやった。

すると、その使と一緒に二人の女が「かわせみ」へやって来た。

一人は、森川徳兵衛の娘のおかねで、これは行方知れずになっている源造の女房でもあった。もう一人は、

「おていと申します」

とだけ名乗ったが、嘉助から、

「いったい、お二人はどういう御関係で……」

と問われて、おかねが、

「申しにくいことですが、おていさんは吉三郎の女房だったおいとさんの姉さんでございます」

と答えた。

で、早速、畝源三郎が呼ばれ、ちょうど八丁堀道場から帰って来た東吾が同席して、

二人から事情を訊くことになった。

「おていの妹は、吉三郎の女房ということだが……」

と源三郎が確認しかけ、おていが慌てて訂正した。

「いえ、あの、女房ではございましたが、只今は女房と申すわけでは……」

「離縁でもしたのか」

東吾がいい、おかねが女にしてはしっかりした口調で応じた。

「おいとさんは、かけおちしたのでございます」

今から五年前に、音松という男と川崎を出て行った。

「音松と申しますのは、おていさんのつれあいの長兵衛さんの所で働いていた植木職人でございます」

つまり、かけおちだといった。

「かけおちの理由はなんだ」

東吾の問い方がおだやかだったので、おかねはほっとした様子であった。

「父は、おさだが悪かったと申して居りました。嫁いびりがひどかったので……」

最初からお話し申しますと、少し考えてから改めて口を開いた。

「吉三郎の母はおさだと申しまして、父の妹に当ります」

従って、おかねと吉三郎は従姉弟であった。

「吉三郎の嫁に、おいとさんを世話したのは父でございまして、父は生れつき、大層な世話好きで、とりわけ、村の方々の縁談をとりまとめるのを楽しみにして居りました」

川崎の、徳兵衛が庄屋をつとめている村では、殆どの若夫婦が徳兵衛の世話で祝言をあげ、幸せに暮しているといった。

「その中で、吉三郎の所だけが、どうしてもうまく行って居りませんで、その理由はおさださんが朝から晩までおいとさんをいびり続け、吉三郎が母親に何もいえず、女房をかばうことが出来ないからだと。これは村中の者がみな知って居りました」

徳兵衛は自分の妹のことなので、何度となくおさだに忠告し、叱言もいっていたが、

「おさだ叔母さんというのは、若い時に後家になって、女手ひとつで吉三郎さんを育てた人なので、気が強く、誰のいうこともききませんので……」

徳兵衛もほとほと手を焼いている矢先に、おいとが音松とかけおちしてしまった。

「おていさんの口からは申し上げにくいと思いますが、音松さんという人は、もともと江戸の植木屋の倅さんで、長兵衛さんの所へは梅の若木をよく注文して来たので、それで時折、川崎へ来ていました」

ところが音松の両親がたて続けに病気で死んでしまって、まだ十八、九だった音松は一人で植木屋をやって行く自信がなく、店を人手に渡して、長兵衛のところへ修業旁《かたがた》やって来た。

「おていさんの所は子供がないので、音松さんをかわいがって、よく面倒を見ていました」

その音松が嫁いびりされているおいとに同情して、かけおちをしたのだと、おかねはむしろ二人に味方するような口ぶりであった。

「父は吉三郎にお前の母親が悪いのだから仕方がないと申しましたし、吉三郎もそう思っていたようで、二人のことは表沙汰には致しませんでした」

「子はなかったのか。吉三郎とおいとの間には……」

東吾が訊ね、おていが身をすくめるようにした。

「二人居ります。上が男、下は女で、九つと七つになりました」

返事をしたのは、おかねで、

「二人の子は、ずっとおていさんがすまながって育てています」

ということは、音松とおいとがかけおちした時、おいとの子は四つと二つだったわけだ。

「かけおちして後、音松とおいとからは何か知らせが来たのか」

東吾の言葉に、おていが首をふった。

「ずっと、なんにもいって来なかったです。でも、うちの人は、音松さんは江戸の生れだから、きっと知り合いに身をよせているだろうと……」

「音松の生れ故郷は、江戸のどこだ」

「日暮里と申します所で……」

「そのことを、徳兵衛は知っていたのだな」

「知っていました」

おかねがうなずいた。

「でも、二人がかけおちした当座は、そんな話は全くしませんでした」

事情が変ったのは、昨年、吉三郎の母のおさだが病死したので、野辺送りが終ってから、徳兵衛は吉三郎に、もし、おいとが詫びて帰って来たら、復縁する気があるかと訊ねたという。

「父の本心は、自分が世話した夫婦がみんな幸せにやっているのに、よりによって甥夫婦が別れたというのは、つらいことだったと思います。残念だとよくいっていましたし、それに、なんといっても二人の子が不愍《ふびん》だとも愚痴を申しました」

「徳兵衛は、今度、江戸へ出てくるに当って、音松とおいとに会い、話をするつもりであったのだな」

「私に、はっきり申したわけではございませんが、おていさんには……」

おかねにうながされて、おていがいった。

「庄屋さんがおみえになりまして、音松のいる所に心当りはないかとお訊ねになりました。

音松にはかわいそうだが、なんといっても二人の子が不愍だから、おいとに戻ってもらうよう、自分が頭を下げて来るつもりだから、もし二人の居所を知っているなら教えてもらいたいと……」

「で、あんたは知っていたのか」

「二年前にたよりがありまして、居所は書いてありませんでしたが、近所に日蓮宗の寺があって、そこに見事な松がある。音松はその松の手入れによく行くので、お寺におまいりしては、子供達の無事を祈っていると……」

おてい、おいと姉妹の実家は日蓮宗なのだと打ちあけた。

「成程、それで、徳兵衛は日暮里へ通って日蓮宗の寺を探して歩いたのか」

東吾と源三郎が顔を見合せて大きな吐息をついた。

とりあえず、おかねとおていを部屋へ案内して休息させ、「かわせみ」の連中と源三郎、長助が額を集めた。

これは、やっぱり音松の生れた家から調べ直さねばと誰の意見も一致して、その場から長助が日暮里に出かけた。

帰って来たのは、もう夜になってからだったが、その表情は勇み立っていた。

「思ったより楽に手がかりがつきましてございます」

谷中の御用聞の左吉に訊いたところ、

「天王寺の近くに植甚という腕のいい植木職がいたのが、音松の親父に違えねえと申します。天王寺の近所で訊いてみますと、そいつは松の手入れがうまく、評判だったようですが、いわゆる職人気質で気にいらねえ仕事はしねえ。歿った時には家にはまとまった金もなくて一人息子の音松というのが川崎のほうの知り合いを頼って行ったと、まあ、間違いはございません。その上、耳よりなことは、植甚の女房、つまり音松の母親の実家てえのが青山で、なんと仙寿院の近くの植木屋だと申します」

あの婆さんのいた家だと、東吾は思わず苦笑した。

「婆さんがいったよな。悴二人に甥っ子一人、つまり、音松は甥っ子なんだ」

「やられましたね」

その夜の中《うち》に、畝源三郎が配下を伴って青山の植木屋へ出かけた。

安吉という植木職は五十二になる気の強そうな親爺だったが、

「其方の許に、元、日暮里の植木職、甚兵衛の悴、音松が身を寄せているであろう」

という源三郎の言葉には神妙であった。

「たしかに、音松は五年前、江戸へ戻って参りまして、手前共で働いて居ります」

住いはすぐ川っぷちの水車小屋の向いだということであった。

音松はその夜の中に捕えられ、源三郎の取調べにあっさり白状した。

九日に、徳兵衛はやはり青山まで来ていた。

音松は竜岩寺で松の手入れをしていた所を徳兵衛にみつかった。

「驚きましたよ。東吾さん、我々が竜岩寺へ行った時、円座の松の下で手入れをしていた男、あれが音松だったのです」

源三郎が後に打ちあけ、東吾は、

「俺も、そうじゃなかったかと思っていたよ」

と応じた。

音松の親が植木職人で松の手入れが評判だったと知ったあたりから、東吾の脳裡にはあの折の円座の松の下の植木職人の姿が浮んでいたものだ。

それにしても、音松の告白した内容は哀れであり、すさまじいものでもあった。

「音松は、突然、やってきた徳兵衛に驚き、ともかくも人にみられない所で話をしたいと頼んで、先に行かせ、自分は後から追いついて、内藤様の下屋敷の裏のほうへ連れて行ったと申すのです」

内藤家下屋敷の表のほうへ廻れば、そこは内藤新宿、江戸の四宿の一つで人通りも多く賑やかな甲州街道口へ続くが、裏はこんもりした林に田畑が広がっているばかりで、人家はまるでない。

「林の中で、音松は徳兵衛と長いこと話をしたそうです」

徳兵衛は音松さえ身をひいてくれれば、なにもかもうまく元の鞘におさまるといったが、音松にしてみれば、青天の霹靂《へきれき》であったろう。

「音松はおいとに惚れ切っていましたし、やっと江戸での生活も落ちついたところに、今更、別れてくれといわれて逆上したようです」

口論からつかみ合いになり、音松はたまたま手に触れた石を握りしめて、徳兵衛を一撃した。

「殺す気などなかったと申しましたが、実際に徳兵衛は死んだわけでして……」

音松はその死体を林の中にかくし、夜になってから、大八車を持って来て死体をのせ、谷中まで曳いて行き、子供の頃の遊び場所でもあった本行寺の物見塚へ崖のほうから運んで捨てて来た。

「夜中に青山から谷中まで往復したのかい」

「徳兵衛が、お前のかくれている所はてっきり日暮里だと思って探しまくった、経王寺の坊さんから青山の新日暮里の話を聞かなければ、到底、探し当てられなかったといったのが、音松に智恵をつけたのでしょう。死体を谷中の日暮里へ捨てれば、自分の今の居場所はわかるまいと考えついたと申しています」

だが、徳兵衛に続いて、源造と吉三郎も青山を探し当てた。

「二人とは渋谷川のふちで、ばったり出会ったと申します。それで、やはり、徳兵衛を殺したのと同じ場所へ連れて行き、この時は持っていた鍬《くわ》で二人共、打ち殺したそうです」

二人の死体は林の中に穴を掘って埋め、それは、音松の言葉通りの場所から役人によって発見された。

「女房の……おいとは知っていたんだろうな」

東吾の問いに源三郎が複雑な表情をみせた。

「音松は、おいとは何も知らない。打ちあけていないと申し立てて居りますが、おそらく、おいとをかばってのことでしょう」

少くとも、徳兵衛の死体をひと晩かかって谷中へ捨てに行ったのを、一緒に暮しているおいとが不審に思わない筈がない。

「音松の衣類は、二回の殺人の際、二回とも血を浴びている筈です。音松は自分であの近くを流れている宇田川で洗ったといっていますが、それも、おいとに気づかれないわけがありません」

宇田川というのは、渋谷川の支流で、おいとはよく蓬《よもぎ》を摘みに行っていたらしいと源三郎はいった。

「もしかすると、衣類を洗ったのは、おいとだったのかも知れません」

「音松は死罪だな」

三人もの人を殺しているのであった。

おまけに、川崎の森川家からかけおちの訴えが出ていないから、音松が他人の女房をかどわかしたということにもなる。

「音松は、すべての罪を自分一人で背負って行く覚悟を決めていたようです」

江戸の役人らしいのが、竜岩寺や仙寿院、それに自分が厄介になっている伯父夫婦の家にまでやって来たのを知って、もう逃げられないと悟っていたようだと源三郎はいった。

「それに、悪人でもない男が、せっぱつまって三人も殺したのです」

自分達の幸せを守るためだったにせよ、人殺しの罪の重さに平然としていられるわけはなかった。

「音松は捕まってほっとしたような所さえあります。勿論、死罪になることも承知しています」

命を賭けて、惚れた女をかばい通そうとしている男の気持を汲んでやりたいと源三郎はいった。

「それに、手を下したのはあくまでも音松一人なのですから……」

殺人を犯した男を助けようとして、かばった女心をあばき出して罪を与えることもないと、東吾は友人の裁量にうなずいた。

「元をただせば、源さん、考え方にもよるだろうが、徳兵衛の世話焼きが、とんだ罪作りをしたともいえるのだからな」

徳兵衛が二人の幼児のために、甥の吉三郎夫婦を元の鞘におさめようとしなければ、今度の人殺しは起らなかった。

「吉三郎はいずれ、然るべき女房をもらって、二人の子を育てる。音松とおいとは青山で幸せに暮す。それはそれでよかったんじゃなかったのか」

少くとも、今度の事件で、二人の幼児は実の父親を永遠に失い、

「おいとだって、川崎の在へは帰れまい」

つまりは母親も失ったことになる。

「東吾さん、なにをいっても、後の祭です。人間は神さまじゃありませんからね」

寂しい顔で源三郎が帰り、東吾は居間へ戻った。

るいはめっきり重くなった千春を抱いて、子守歌を歌っている。

親はいつでも、誰でも、我が子の幸せをのぞむものだろうと東吾は思った。

命ある限り、我が子の幸せを守ってやりたいのが親心だとしても、果して、どこまで我が子の幸せを見届けることが出来るものか。

「寝たのか、ちび姫さんは……」

戻って来たるいに東吾が声をかけ、るいはしっと指一本を口にあてた。

その母親の手から娘を抱き取って、東吾は小さな布団に寝かせた。赤ん坊はもごもごと口を動かし、そのまま、深い眠りに落ちて行く。

廊下をぬき足さし足で、お吉が蚊やりを運んで来た。

大川の上に月がのぼったのか、「かわせみ」の庭がほんのりと明るくなっている。

伝通院《でんずういん》の僧《そう》

一

川開きまでもう何日と、江戸っ子が指折り数える五月初旬、晴天が続いて気温は鰻登り、けれども風がさわやかで、一年の中《うち》でもこれほど過しやすい日はそうあるまいと思われるけっこうな陽気が続いている。

大川端の旅宿「かわせみ」では、立春に誕生した東吾とるいの一粒種の千春が日に日に愛らしさを増して来て、女中頭のお吉はもとより、番頭の嘉助までが、用事で奥へ入ると、つい、赤ん坊の寝顔を眺めて時の過ぎるのを忘れてしまう。

母親になったるいは産後の肥立ちが思った以上によくて、千春のお宮参りがすんだあたりからは、以前のように「かわせみ」の女主人としてお客への挨拶にも出ているし、隣近所のつきあいにも不義理をすることはない。

で、東吾のほうも安心して講武所と軍艦操練所に交替で通って、時には畝源三郎の捕物の手伝いをしたりなぞ、好き勝手な日常に戻っていた。

とはいえ、昔のように鉄砲玉みたいに一度出かけたら、どこへ行ったか、いつ帰るか、まるであてがないといったことはなくなって、格別の事情がない限り、勤め先からまっすぐに我が家へ帰って来て、るいに声をかけ、千春の様子をのぞいて満足している。

「東吾さんもすっかりいい親父になりましたね」

時折、暇をみつけて「かわせみ」へ赤ん坊の成長ぶりを確認にやって来る麻生宗太郎が笑った。

「今から、そんなだと、嫁にやる時、苦労しますよ」

「誰が嫁にやるものか。聟をもらうんだ」

「親父がべったりくっついている娘には、良い聟が来ません」

「並みの男になんぞやるものか」

「源さんも、そういっていましたよ」

八丁堀の同心、畝源三郎の娘のお千代《ちよ》は、今年二歳、おぼつかない足どりで歩くようになったし、やんちゃになった。

「源さんも俺も、宗太郎も、みんな親父になっちまったんだな」

青春の日は確実に遠くなったという感慨が湧いて来て、東吾は庭の青葉に目を細めた。

「この分だと、三人共、あっという間に爺いになるぞ」

「今度、来る時、若返りの薬を持って来てあげますよ。老けた東吾さんなんてのは嬉しくありませんからね」

「なにをいってやがる」

廊下をお吉がやって来た。

「長助親分がお蕎麦を打っていますけど、召し上りますか」

宗太郎が先に応じた。

「のぞむところです」

「俺も午《ひる》は講武所で稲荷鮨を食っただけなんだ」

門弟の誰かが買って来て、師弟ともども車座になってつまんだが、それだけでは一時しのぎにしかなりはしない。

「いいところへ、長助が来ましたね」

患者を診るのに忙しくて、昼飯は大抵、焼きむすびだという宗太郎がにこにこしていると、間もなくるいとお吉が茹で上った蕎麦を運んで来て、男二人はお代りをして食べた。

「今頃の蕎麦は、香が今一つなんですが……」

釜場を一段落させた長助が汗を拭きながらやって来て挨拶をし、そのついでのように、

「申しわけありませんが、ちょいとばかり、奇妙な話が耳に入りましたんで……」

という。

お吉が冷たい麦湯を持って来た。いい具合に千春は次の間でぐっすり眠っているから、長助の話の邪魔をする者はいない。

「あっしの知り合いで、柳橋で古くから蕎麦屋をやって居ります治助というのが、こないだ訪ねて来まして、どうも気味が悪いんで、話を聞いてくれと申します」

この春、といってもまだ寒い時分から、一人の僧がその店へ来るようになった。

「坊さんが蕎麦屋へ来ても、まあ、なんてえことはございませんのですが、その坊さんは一度来てから、のべつまくなしにやって来る。治助が申しますには、少くとも三日に一度は必ず参りますそうで……」

「よっぽど、お蕎麦の好きな坊さんなんですかね」

早速、口をはさんだのはお吉で、

「おいしいんですか、そのお蕎麦屋さん」

と訊いた。

「格別、旨いって評判の店ではございませんが、まあ繁昌してるってことは、まずくはねえ証拠のようなものでして……」

それにしても、まだ若い坊さんが足しげく通って来るので、店の者がお愛想のつもりで、

「どちらのお寺さんで……」

と訊ねたところ、

「小石川の伝通院でございます」

と答えた。

小石川の伝通院といえば、徳川家の始祖、家康公の生母、於大の方の菩提所で、伝通院の名も於大の方の法名をそのまま寺名とした由緒があり、墓地には二代将軍の娘で、豊臣秀頼の妻であった千姫の墓もある。

正しくは、無量山寿経寺。浄土宗で京都の知恩院の末寺となっているが、幕府から六百石を頂き、六万坪の寺地を持つ名刹《めいさつ》である。

「治助の奴も、それを聞いて、へええと驚いたような案配なんですが、たまたま、近所の隠居にその話をしたところ、伝通院には古くから、こういういい伝えがあるが、と、どうにも気味の悪い話をされちまったんでございます」

昔、伝通院の前の蕎麦屋に、毎夜のように一人の僧がやって来て蕎麦を食べ、勘定を払って帰るのだが、店の主人が一日の商売を終《つ》えて売り上げを数えると、必ず木の葉が入っている。どうもおかしいと僧の後を尾けると、伝通院の中の沢蔵主《たくぞうす》稲荷の社の前でかき消えるように姿がみえなくなってしまった。

それで、これは稲荷大明神のお使の狐が僧に姿を変えて蕎麦を食べに来ていたものに違いないというので、毎朝、作りたての蕎麦を稲荷明神に供え、店の名前も稲荷蕎麦としたというもので、

「治助の奴は、それを聞いて、坊さんのあとを尾けて行ったんだそうでございます」

長助が首をすくめていい、お吉が一膝乗り出した。

「伝通院さんのお稲荷さんの所で消えちまったんですか」

長助が、ぼんのくぼに手をやった。

「馬鹿馬鹿しいっていやあ、それまでなんでございますが、治助は青くなって居ります
んで……」

東吾が面白そうな顔をした。

「その蕎麦屋の売り上げに木の葉が入っていたのかい」

「いえ、左様なことはなかったようで……」

「伝通院の前の、稲荷蕎麦って店はなくなったんですかね」

と訊いたのは宗太郎で、

「なにも、小石川から柳橋まで食べに来なくとも、蕎麦屋はいくらでもありますよ」

これも可笑《おか》しそうにいう。

「治助の奴は、自分の店がお稲荷さんに魅入られたんじゃねえかと、怯えています」

「蕎麦の代は、ちゃんと払ってるんだろうな」

と東吾がいい、長助がうなずいた。

「そいつは間違いねえそうです」

「それじゃ、なんてことはありませんでしょう」

お吉ががっかりした口ぶりで断定した。

「坊さんだって、お蕎麦好きの人は珍しくないし、托鉢かなんかで柳橋のほうまで来て、気に入った蕎麦屋でお昼食《ひる》を食べる。ただ、それだけのことじゃありませんか」

「お吉さんのいう通りです。大体、外で飯にする時は誰しも行きつけの店へ足を運ぶものじゃありませんか。少々、遠くとも知らない店へ入るよりは、馴染《なじみ》のところへ行くのが人情だし、自然だと思いますよ」

宗太郎にまでいわれて、長助は何度もぼんのくぼに手をやった。

「どうも、つまらねえ話を致しまして申しわけございません」

律義に頭を下げて台所へ逃げ出して行く長助が、なんとなく気の毒で、東吾はその後を追って裏口まで出た。

「今の話の治助って奴の店は、なんて名なんだ」

「信濃屋ですが……」

「明日、軍艦操練所の帰りに寄ってみるよ」

長助がたて続けにお辞儀をした。

「なんてことはねえとは思いますんですが」

「いいじゃあないか。俺も蕎麦は大好物なんだ」

いそいそと帰って行く長助を見送って戻って来ると、お吉が待っていたように訊いた。

「まさか若先生は、伝通院から狐が化けて柳橋までやって来るとお思いじゃございませんでしょうね」

「近頃の狐は口がこえているんだ。小石川の蕎麦に飽きて柳橋に鞍替えしたのかも知れないぞ」

帰り支度をしていた宗太郎がいった。

「野暮な詮索はしないほうがいいですよ。伝通院の坊さんが柳橋の芸者に惚れて通って来るのかも知れないじゃないですか」

隣の部屋で千春が泣き出し、その話はそれっきりになった。

二

翌日、東吾は軍艦操練所から、まっすぐに柳橋へ出た。

信濃屋という蕎麦屋を探すつもりだったのだが、橋の近くの番屋の戸が開いていて、そこに長助が立っている。

東吾をみると、かけ寄って来た。番屋の中に畝源三郎がいるという。

「なにかあったのか」

格子窓の半分ばかり開いているところから覗いてみると、源三郎の前に若い女が神妙にすわって、しきりに話をしている。

「たいしたことじゃございません。自分の思い違いから、自分で煮えた湯を浴びちまったんだそうで……」

「あの女がか……」

「いえ、あれは、お染と申します芸者で、火傷をしたのは、あれの姉さん格できく江という妓《おんな》でございます」

そこへ、町役人《ちようやくにん》につき添われた恰好で、右手を白い布でぐるぐる巻きにした男がやって来た。

「役者の中村市三郎で……」

そっと長助がささやいた。

「先月まで猿若座の芝居に出て居りました」

成程、着ているものも、髪の結い方も、一目で役者とみえる。

「なかなかの男前じゃないか」

東吾が眺めていると、町役人と市三郎は番太郎にうながされるようにして番屋へ入って行く。

窓の外から立ち聞きしていると、どうやらきく江という芸者と市三郎が深い仲だったらしく、江戸での芝居を終えて間もなく上方へ帰る市三郎がきく江に会いに来たところ、たまたま、きく江が血の道を起して寝ていたので、妹分のお染がそのことを告げようと、二人で話をしているのを誤解したきく江が煮えたぎった湯を持って来て、お染に浴びせようとし、驚いた市三郎がそれを阻止しようとして、逆にきく江が熱湯を浴びてしまったということらしい。

市三郎の右手の火傷はその時のもので、

「きく江ってのは、どうなんだ」

東吾に訊かれて、長助が顔をしかめた。

「なにしろ、頭からひっかぶっちまったようで、あっしが行った時には医者が手当をしていましたが、かなりひどい様子で……」

顔が売りものの稼業だけに、痕にでもなったら、えらいことだと長助はいった。

「お染って女のほうは、無事だったらしいな」

見たところ、髪は乱れ、顔色は青ざめていたが、熱湯を浴びた様子はない。

「市三郎が気づいて、かばったからでございましょう。ですが、番屋へ来た時はがたがた慄《ふる》えていて、口もきけねえ有様で……」

畝源三郎の調べは手早くて、やがて町役人がお染と市三郎を伴って番屋を出、柳橋のほうへ戻って行った。

「このいい陽気に、女の鞘当てのお取調べとは、源さんも運が悪いな」

番屋の入口から声をかけると、若党に口書《くちがき》を取らせていた源三郎が立ち上って外へ出て来た。

「今の役者、女二人をかけ持ちしてやがったのか」

源三郎が苦笑した。

「そんな所ではないかと思ったのですが、どうも、きく江のかん違いだったようですな」

きく江という芸者は根っからの芝居好きで、市三郎が東下りして来て以来、かなり入れあげもし、馴染になったようだが、お染は市三郎の舞台すら見たことがないのだと源三郎はいった。

「ただ、きく江とお染は、共に三島屋の抱えで、お染のほうが妹分です。三島屋でも話をきいたのですが、お染と申すのは、きく江によく尽していたようで、市三郎がきく江に会いに来ても、きく江が客につかまっていて、なかなか座敷をあけられないような場合、代って酒の相手などをしたことはあるが、別に市三郎を張り合うという立場でもないと申していました」

なにか、不審でもありますか、と訊かれて東吾は手をふった。

「俺は信濃屋へ蕎麦を食いに行くんだ」

「東吾さんも物好きですね。信濃屋の亭主の話だと、その坊さんは天ぷら蕎麦が好物というわけでもないようですよ」

では先を急ぎますので、と若党をうながして源三郎が両国橋のほうへ去り、東吾は長助と顔を見合せた。

「源さん、信濃屋へ行ったのか」

「つまらねえ噂でも、ほうっておくとろくなことがないからとおっしゃいまして……」

番屋へ信濃屋を呼んで話をきいている時に、町役人がきく江の騒動を知らせに来たのだといった。

「畝の旦那にも、若先生にも、つまらねえことをお耳に入れちまいまして、あいすみません」

亀の子のように首をすくめた長助に、東吾は笑った。

「とにかく、信濃屋へ行こう。俺は腹が減って目が廻りそうなんだ」

その信濃屋は、番屋と目と鼻の先の近さにあった。

みたところ、ごく当り前の蕎麦屋だが、造りは小ぎれいで、場所柄、繁昌しているらしい。といっても、とっくに午を過ぎて、店には何人も客はいない。

長助が東吾のために蕎麦を注文し、やがて板場から主人の治助が自分で蕎麦を運んで来た。

「伝通院の坊さんってのは、今日も来たのかい」

東吾がいい、治助は慌てて頭を下げた。

「ここのところ、五、六日、おみえになりません」

「あんたも、狐の化けたのだと思うのか」

「とんでもないことでございます。あれは、お客様が面白ずくにおっしゃったことで……」

定廻りの旦那に番屋へ呼ばれたのが、よくよくこたえたとみえて、むきになって否定している。

「ところで、この店には柳橋の姐さん方もよく来るんだろう」

三島屋のきく江が熱湯をかぶった一件は知っているかと水をむけると、

「お客様方が噂をしておいでてでしたので……」

と神妙な返事をした。

「きく江ってのは、売れっ妓かい」

「派手な姐さんでございますから、お客には人気があるようで……」

「お染とは、どっちがいい女だ」

「それはもう、きく江さんのほうが、器量がいいばかりか、陽気で華やかでございますから……」

ただ、大火傷をしたということなので、この先、どうなることやらと気の毒そうな口ぶりをみせた。

蕎麦を食べ、辞退するのに余分の勘定をおいて、東吾は長助と店を出た。

「きく江ってのに、長助は会ったことがあるのか」

長助が照れくさそうに答えた。

「昨年の川開きの時に、ちょいとばかり……」

「そんなに、いい女なのか」

「柳橋では五本の指に入るそうで……」

「お染ってのも、悪い器量じゃゃなかったが……」

「あの妓は、陰気なのが玉に疵《きず》だときいて居ります」

いわれてみれば、そうかも知れないと東吾も思った。番屋の中でひっそりとうつむいていた姿は悪くなかったが、

「芸者の陰気なのは売れないなあ」

本所へ向った源三郎の後を追って行く長助と別れて、東吾は大川端へ帰った。

ただそれだけのことだったので、東吾は「かわせみ」の誰にも柳橋へ行ったことを話さなかったのだが、二日ばかりして麻生宗太郎がやって来た。

「わたしの患家で、珍しく蔵前の料理屋が一軒あるのですが、毎年、川開きには屋根舟を一艘買い切りにして客を招待しているのです。今までにも何度か招かれていたのですが、なにやかやと用事が出来て断りをいって来ました。今年は是非にといわれまして、どうです、東吾さん、たまには英気を養いに出かけませんか」

という。

「宗太郎一人なのか」

と訊くと、

「我が家の者は、屋敷の庭から遠花火をみるのが一番で、なにも、わざわざ、あんな騒がしいところへ漕いで行くことはないと申すのですよ」

まあ、招かれているのは、男ばかりのようで、と、そっと目をつぶってみせた。

そんな宗太郎の魂胆を知ってか知らずか、るいが、

「折角、宗太郎先生がお誘い下さったのですから、お出かけなさいませ。今年は景気直

しに、玉屋も鍵屋も、格別の趣向をこらしているとか、お客様がおっしゃっていましたよ」

と勧める。

「では、当日夕六ツに、柳橋の武蔵屋へお出で下さい」

まじめくさって告げた宗太郎だったが、東吾が送りがてら外まで出ると、

「よかったですね、東吾さん。当日は柳橋のきれいどころがずらりと並ぶそうですよ」

低声《こごえ》でささやいて豊海《とよみ》橋のほうへ歩いて行った。

川開きは陰暦五月二十八日から八月三十日まで、いわゆる大川に船遊びのための涼み船が出るのを許可される、その第一日目で、大名、旗本をはじめ、江戸の豪商達が屋形船を仕立て、その他、屋根舟、猪牙に至るまで大川を埋め尽して歓楽を尽す。

この日は両国橋を中心に、川の上下に花火が上り、柳橋の芸者が総出で花を添えた。

従って、両国界隈は川沿いの料理屋は勿論、橋の上も屋根の上までも、花火見物の客でごった返すことになる。

東吾は講武所からいったん「かわせみ」へ帰って一汗流して着替えをし、

「お気をつけて、行ってらっしゃいまし」

るいや嘉助、お吉に見送られて柳橋へ向った。

武蔵屋へ着いたのは、ちょうど夕六ツの鐘の音が鳴りはじめた時で、

「東吾さん、お待ちしていましたよ」

一足先に着いたという宗太郎に声をかけられて座敷に案内された。

招待側の蔵前の料理屋「稲垣」の主人は、東吾を識っていて、

「神林様の弟御様でございますね。本日はようこそ、お出かけ下さいました」

と丁重な挨拶をした。

「お兄上様には、何度か手前共の店へお越し頂いて居ります」

というところをみると、兄の神林通之進はつきあいかなんぞで「稲垣」へ出かけたことがあるらしい。

いささかくすぐったい顔で、東吾は宗太郎と並んで席についた。

招かれた客の中には武士もいたが、そう堅苦しい人物は居らず、一応の挨拶がすむと各々、ざっくばらんに盃を取り、話がはずんだ。

客が揃ったところへ、芸者が迎えに来た。

舟の支度が出来たということで、一同打ちそろって桟橋へ出る。

屋根舟はかなり大きくて、主客に芸者や女中を取りまぜて三十人が乗っても、そう窮屈なことはない。

まだ薄暮といった頃合で、空には青さが残っているが、大川は続々と漕ぎ出される舟で埋め尽されている。

川の上は風があったが、花火を打ち上げるのに支障があるほどではない。

東吾達の前には膳がおかれ、芸者がいい具合に並んで酒を勧める。

舟に乗ってから東吾は気がついたのだったが、その芸者達の中に、お染がいた。

この前、柳橋の番屋でみた時は化粧っ気もなく、着ているものも普段着だったが、流石《さすが》に今日は結い上げた潰し島田が濡れ濡れとして、化粧映えがするのか、見違えるほどの女ぶりであった。

けれども、内気な性格なのか、その隣にいるみよじという芸者にくらべると、器量では遜色がないのに、どことなく位負けしたところがあって、成程、そういうところが陰気だといわれるのかも知れないと東吾は思った。

五人乗り込んだ芸者の中では、みよじというのが一番の売れっ妓らしく、他の芸者からは、姐さんと呼ばれている。

実際、三味線も達者なら、声もよくて、客の求めに応じて歌い出すと、近くの舟からも声がかかる。

「踊りもなかなかでございます。この土地の若手の中では一番人気がありまして。ですが、今月限りで廃業致しますそうで、贔屓《ひいき》はみんながっかりして居ります」

東吾の脇にすわっていた「稲垣」の主人がいい、東吾が訊いた。

「廃業するというのは、いい客がついたということか」

「玉の輿でございますよ」

浅草の茶問屋の主人で駿河屋平太郎というのの後妻におさまることになったのだといった。

「平太郎さんと申しますのは、まだ四十そこそこだそうですが、五、六年前にお内儀さんをなくしまして、まあ独り者の気らくさで、けっこう柳橋なんぞに遊びに来ていたようで……。みよじの前にも、何人か贔屓にした妓があったようで、みよじを落籍《ひか》すと決った時には、随分と口惜し涙を流した妓もいたと申します」

いってみれば、数多い競争相手を退けて、玉の輿を射止めたみよじに、それだけの魅力があったというわけで、今のところ、みよじの人気は上る一方だと苦笑している。

「そういえば、つい先だって、役者といざこざを起して煮湯《にえゆ》をかぶった妓がいたな」

東吾が思い出し、

「きく江のことでございましょう。あれもいい芸者でしたが、やきもちがひどく、結局、それが身の仇となりましたようで……」

「火傷はどうなんだ」

「どうにもこうにも。噂では二目とみられない顔になったので、在所へひっ込んだとか」

煮湯を鉄瓶ごと、頭からかぶったのだから、どうにもならないというのを聞いて、宗太郎が眉をひそめた。

「湯の火傷は、始末の悪いものですよ。まず、湯の流れたところは、ひどいことになった筈です」

「時が経てば、痕がみえにくくなるということはないのか」

「程度にもよりますが、厄介でしょうね」

ぱぁんと威勢のよい音が上って、大川に喚声が起った。

すっかり暮れた夜空に大輪の花火が連続して打ち上げられる。

玉屋、鍵屋と声がかかり、暫くは酒も話もそっちのけになった。

三

花火が終ってから、「稲垣」の客は武蔵屋へ戻って、そこで本格的な酒宴になった。

舟の中でも人気者だったみよじが、今度は踊りを披露して客の喝采を浴びた頃には、流石の東吾もいささか酔いが廻っていた。宗太郎はとみると、床柱によりかかって行儀よく居ねむりをしている。

で、手水《ちょうず》に立つふりをして廊下に出、店の女中に駕籠を頼み、自分は突き当りの涼み台へ出て、酔いざましに風に吹かれていると、

「お冷やを持って参りました」

という声がして、お染が湯呑をさし出した。

「こいつは有難いな」

一息に飲み干して、座敷のほうをふりむいた。

「相変らず、盛り上っているようだな」

芸達者な「稲垣」の主人が、みよじの三味線で清元を語っているらしい。

「どうも、今夜の客は粋人が多いらしい」

俺は野暮でね、飲むしか芸がないから酔っぱらった、と笑った東吾に、お染がいった。

「人には、生まれた時から、運みたいなものが決っているんでしょうか」

夜空へそっと目を向けた。

花火が消えたあとに、小さく星がまたたいている。

「みよじ姐さんみたいに運の強い人と……」

「きく江のように、運の悪い女と、か」

妹芸者のお染と、自分の情人の間を疑って、煮湯をぶっかけようとして、結局、自分が大火傷を負った。

「きく江姐さんは自業自得です」

低いが、しっかりした声であった。

「他人のお客を片っぱしからさらって……市三郎さんだって、あたしにいってたんです。女房にするなら、あんたのような大人《おとな》しい女がいいなって……」

「あんたは市三郎といい仲だったんだな」

それなら、きく江が嫉妬して熱湯を浴びせようとしたのがわかる。

「あたしのほうが先だったんです。市三郎さんがお客様と柳橋へ来た最初から……きく江姐さんはずっと後です」

「あんたときく江と二股かけていたわけか」

「違います。きく江姐さんとそうなってから市三郎さんはあたしを避けましたし、あたしも姐さんの目が光っていたから、一度も……でも、きく江姐さんは始終、やきもちを焼いて……」

「あんたは、市三郎を取りかえそうと思わなかったのか」

お染の片頰に奇妙な笑いが浮んだ。

「あたしって、いつもそうなんです。きまってお客を取られるように出来ているみたいで……みよじ姐さんだって……」

廊下を女中が来た。

「若先生、お駕籠の用意が出来ました。まあ、お染さん、稲垣の旦那様が探しておいででしたよ」

お染が去って行き、東吾は女中に訊いた。

「稲垣の旦那は、お染が贔屓なのか」

「お染さんが、旦那にひっついているんですよ。なんとか、自分のお客にしたいんじゃありませんか」

「みよじを女房にする男は、お染の客じゃなかったのか」

「かも知れませんけど。大方のお客様はいろいろお遊びなすってから、この妓を贔屓にしようとお決めなさるんで、別にみよじさんがお染さんのお客を取ったってことにはなりません」

座敷はもう無礼講になっていた。「稲垣」の主人に挨拶をし、宗太郎を伴って、東吾は川開きの宴から脱け出した。

なんとなく、お染という妓が気になって、東吾は長助に柳橋でのお染の評判をきいて来るように頼んだ。

けれども、その返事は「かわせみ」で聞くわけには行かない。

なにも、お染に気があるわけではないが、何故、そんな芸者のことを、と、るいに訊ねられると厄介であった。

つまらないことで、痛くもない腹を探られるのは馬鹿馬鹿しい。

適当に日をおいて、東吾は軍艦操練所の帰りに深川の長寿庵へ寄った。

ひょっとすると、畝源三郎の供をして町廻りに出ているかも知れないと思ったのだが、長助は店にいた。

「ちょうどようございました。お屋敷へうかがってよいかどうか迷って居りましたんで」

というところをみると、長助も「かわせみ」の女達の前で柳橋の芸者の話をするのは剣呑だと思っていたらしい。

「お染という妓でございますが、どうも運がないと申しますか、男運はよくねえようでございまして……」

二階は客が上っていないからと、東吾を案内し、昼間はまず酒を飲まないのを知っているから、とりあえずかまぼこにわさび漬を添えて出し、すぐに蕎麦を運んで来た。

「もともとは浅草生まれで、親父は人形職人だったようですが、酒好きがたたって早死にし、お袋も患いついたんで、お染が十五で柳橋の三島屋の抱えになりましたそうです」

その母親もお染が芸者になって半年で死んでいる。

「兄弟はないのか」

「妹がいたんですが、子供の時に病気で死んだんで……」

「天涯孤独か」

「器量は悪くございませんので、それなりに客はつくが、どういうわけか長続きがしねえんだそうでして、この前、若先生がおっしゃった通り、馴染の客を他の朋輩に取られるって案配です」

小柄で若く見えるが、年はもう二十五になっている。

「姐さんと呼んでいる芸者のほうが、年下でございます」

当人は自分に甲斐性がないからだと割り切っていて、むしろ、年下の売れっ妓芸者の機嫌を取っては、その座敷に呼んでもらっているが、

「まあ、みじめといえばみじめなものだろうと思います」

と長助はいう。

「市三郎とのことも、大方が知って居りましたが、馴染の仲というまでのことはなく、

浮名を流したのはきく江のほうなんで、御承知のように、ああいう所ではよくあること
で、別に客を取ったの取られたのということにはなりませんようで……」

例えば、吉原では同じ見世の遊女から遊女へ、客が乗りかえるのは御法度だが、見世
をかわればなんということもない。

まして他の岡場所では、あまりうるさいことはなかった。

「お染とその客の仲が半年も一年も続いていて、その土地に知れ渡っているようなこと
ですと、他の妓が取ったってことになりますが、二、三度遊んだ程度では、まず野暮は
いわないもののようでございます」

それは東吾も知っていた。

「お染の客というのは、みんな、その程度の仲なのか」

「さいでございます」

「一人ぐらい、長続きした奴はいないのかな」

憮然として東吾がいい、

「昔のことらしゅうございますが、二、三年続いた客がありまして……」

「そいつも、朋輩に取られたのか」

「いえ、勘当されて、どこかへ消えちまったと申しますんで……」

「運がないんだな」

人は生まれた時から、運の強い者と、そうでない者が決っているのかといったような

ことを呟いていたお染を思い出して、東吾は索漠《さくばく》とした気分になった。

「男がつき合っていて、悪い女じゃないと思えるんだ」

その証拠に、きく江に熱湯をかけられそうになった時、市三郎はお染をかばってきく江に大火傷をさせ、自分も右手に火傷を負った。

「市三郎という奴、どうしている」

「火傷はそれほどでもなかった様子で、もう上方へ発ちましたとか」

「貧乏くじをひいたのは、きく江一人か」

長助がむつかしい表情になった。

「そうとばかりも申せませんので……」

「なに……」

「柳橋ではきく江に同情する余り、お染を悪くいう者が少くございません」

つまり、きく江の情人と知った上で、お染が市三郎に未練を持ち、なにかにつけてべたべたしていた。

「きく江が頭に来るのは、当り前だという奴が居ります」

抱え主や料理屋でも、売れっ妓のきく江が無惨になったことを惜しんで、その因を作ったお染に冷たいらしい。

「ひでえ奴は、お染のことを疫病神のように申しますんで、あっしもなんだか、お染がかわいそうになりましたくらいで……」

当人が運がないというのは、そういう点かと思ったが、さりとて、東吾にどうしてやるという方法もない。

孫の長吉になにか買ってやってくれ、と、帰りに長助の女房へ少々を渡して、東吾は永代橋を渡った。

四

五月晴れの後に五月雨《さみだれ》が続いて、大川は川開きの時とは形相が変った。

濁流が音をたてて海へ向い、時には上流から押し流されて来た木材などが「かわせみ」の近くの岸辺にひっかかったりして、嘉助や「かわせみ」の若い衆は大川から目が離せない状態が続いた。

本所や深川でも小名木川や横川、竪川に架る橋が水をかぶって危険になり、町奉行所から警戒の役人が雨の中を出動して行く。

「まさか、天が抜けちまったんじゃあございますまいね」

と、お吉がぼやき続けている中《うち》に、漸く雨が上って江戸の人々はほっと安堵の吐息をついたが、大川の水量は増えたまま、二、三日は流れも早いから舟遊びは用心するようにとお達しが出たものの、二日も晴天が続いて川水の色がいつものようになって来ると、釣り好きはもう舟を出す。

お染が水死したのは、そんな時で、取調べに当った畝源三郎の話によると、蔵前の

「稲垣」の主人が柳橋へ遊びに来ていて、千代菊という芸者を伴って舟で向島へ行こうとしたところ、お染が強引に舟へ乗って来た。

「千代菊というのは、稲垣の主人がこの頃、馴染になった芸者で、向島には稲垣の別宅がある、そこへ遊びに行くつもりだったと申します」

舟の支度が出来たところへ、誰に聞いたのかお染がかけつけて来て、まわりが制《と》めるのもきかず同行したあげく、舟の中で千代菊と口論になり、つかみ合ったまま、二人共、舟端から川へ転落した。

「船頭がとび込んで、すぐ近くにいた千代菊は助け上げられたのですが、お染はみつからず、翌朝、三俣の近くで浮んだと申しますから、随分と流されたもので……」

遺体は成り行きで「稲垣」の主人が金を出し、野辺送りをすませたという。

「長助から聞きましたが、どうも運のない女だったようで、まことに哀れな末路です」

助けられた千代菊のほうは、それがきっかけで「稲垣」の主人が落籍し、向島の別宅へ囲うことになったので、お染一人が死に損のような結果に終った。

「東吾さんが、お染のことを気にかけて居たと長助が申しますので、とりあえず、お耳に入れておきます」

まさか、お染に気があったのではないでしょうね、と冗談らしく笑った源三郎だったが、きく江の一件でお染を調べたことがあるだけに、なんとなく因縁を感じているようでもあった。

そして、因縁といえば、更に十日ばかりの後、柳橋の信濃屋に伝通院の僧と名乗った蕎麦好きがやって来た。

「これは、お久しぶりでございますね」

と挨拶した治助の胸倉を摑まんばかりにして、お染が水死したのは本当かと問いただした。もて余した治助が僧を番屋へ連れて来て、これもやっぱり町廻りで通りかかった畝源三郎が事情を訊くことになった。

「名を玄信といいまして、伝通院の学寮に所属しているのは間違いありませんでしたが、なんと、これが出家する前は浅草の茶碗屋の悴で仙太郎といい、死んだお染とは二年越しの深い仲だったのですよ」

長寿庵の午下り、源三郎から使をもらって呼び出された東吾は、目を泣き腫らしている玄信と対面する破目になった。

玄信の語るところによると、お染とは子供の頃からの知り合いだが、他人でなくなったのはお染が柳橋の芸者になってからのことで、それこそ三日にあげず柳橋へ通いつめたと告白した。

「そのあげく、お定まりではございますが、親から勘当されまして、暫くは知り合いの厄介になったりして居りましたが、或る時、工面をして柳橋へ参りましたところ、お染にはもう別の客がついて身請け話も出ているとか、そんな女のために道をあやまったのかとつくづく我が身に愛想が尽きました。知り合いに意見をされましたが、今更、家へも帰りにくく、いっそ世を捨てようかと……」

知り合いが坊さんに頼んでくれて、そのまま京へ行き、知恩院の末寺で修行をした結果、なんとか認められて、今年、江戸の伝通院へやって来た。

「情ないことに、江戸の土を踏んだとたんにお染が気になりまして、托鉢のついでに柳橋へ参り、それとなく噂を聞いたりして居りました」

が、お染と会う折もなく、

「房州のほうに、浄土宗の寺が出来まして、伝通院から住職が参ることになり、そのお供をしてむこうへ行って居りまして、落慶式などさまざまの行事もすみましたので、また、江戸へ戻って参りましたところ、お染が死んだと知りまして……」

前後のわきまえもなく、信濃屋へとび込んでしまったものだといった。

伝通院の僧が、はるばる柳橋の蕎麦屋へやって来た理由はわかったが、今更、なんともいいようがない。

「ところで、あんたの親はどうしているのだ。あんたが坊主になったことを知っているのか」

東吾が訊くと、

「知って居ります」

という返事であった。

茶碗屋の店は、妹に聟を取り、昔以上に繁昌しているので、両親は幸せな老後を送っている。

「訪ねて参りましたら、折角、出家したことだから、せいぜい修行して立派な坊さんになってくれと、母親に泣かれてしまいました」

親の家に玄信の戻れる場所はないということらしい。

「せめて、お染のために経を読んでやれることをありがたいと思って居ります」

漸く落ちつきを取り戻し、長寿庵を玄信が出て行って、東吾は長助が気をきかせて持って来た酒を少しばかり飲んだ。

「気の毒ですが、お染という女にも、運に見放されるような何かがあったと思います。ただし、それをいうのは酷のような気がしないでもないのですが……」

なにかをふり払うような様子で源三郎が立ち上った。

「世の中は、狐の化けた坊さんが伝通院から柳橋まで蕎麦を食いに通ってくるというような、のどかな時代ではありませんよ」

長寿庵を出て「かわせみ」へ帰りかけながら、東吾は永代橋から大川を眺めた。

夏空の下、今日も大川には舟の行き来が多い。やがて日が暮れれば、このあたりまで涼み舟、釣り舟で賑わう。東吾の足がゆっくり橋板を踏んで行った。

二軒茶屋《にけんぢやや》の女《おんな》

一

深川、富岡八幡宮の広大な境内の東側のはずれに二軒茶屋と呼ばれる料理屋があった。

二軒茶屋の名の通り、松本、伊勢屋と二軒ある。富岡八幡宮の北側を流れる油堀川から鉤形にひき込んだ水路に面して河岸があり、二軒とも、舟からいきなり座敷へ上れるように出来ていた。

どちらも広い庭を持ち、小さな築山や植木のあしらいに趣向を凝らし、石燈籠などを巧みに配して、四季の風情を売り物にしたので、けっこう繁昌したものだったが、天保の改革の際、奢侈《しゃし》をとがめられて廃業した。

その後、世の中が変って、松本のほうは旧に戻って華々しく再開したが、伊勢屋は潰れたままで、ただ二軒茶屋の名ばかりが残った。

八月十五夜の日に、その松本で、日本橋の書画骨董商、仙鶴堂が客を招待して大がかりな展示会を催した。

自分の店の秘蔵の品はもとより、同業者を誘って、日頃はよくよくの得意客にしか見せないような珍品を披露するとあって、客ははやばやと松本へ集った。

無論、即売もするので、人気のある書画には何人もの客が入札をし、せりにかけられたりもする。従って、多額の金子が客と仙鶴堂の間にやりとりされた。

やがて夜になり、別の座敷に用意された月見の膳を前に、客達は充分のもてなしを受け、大空に浮んだ満月に堪能した。

だが、その宴もぼつぼつおひらきになろうという段になって、仙鶴堂主人、喜兵衛が、あっと声を上げた。

今日の売り上げの中《うち》、高額のものは、仙鶴堂が品物を届けに行った時に支払うというのが多かったが、ちょっとした値のものは客が即金で支払って居り、また、せり落した品をこの場から持って帰りたいと希望した客が早速に払った金なぞが、合計で三百両余り、仙鶴堂の番頭がまとめて袱紗《ふくさ》に包み、白木の三方にのせた上に、朱色の大袱紗をかけておいた。

その三方はこの座敷の違い棚の上においてあったのだが、喜兵衛がふと見ると大袱紗をかけた形が奇妙になっているので、近づいてめくってみると、その下にあった筈の金包がそっくり消えていた。

二

同じ十五夜に、神林東吾は兄の通之進と共に、向島の武蔵屋へ出かけていた。

兄弟の母方の叔父に当る人の十三回忌の法要があって、その後、武蔵屋で供養の席が設けられたからである。

その叔父は武士であったが、儒学をよくし、とりわけ詩文のたしなみが深かった。で、供養の席では、追慕の詩を作って故人を偲んだりしていたが、そうした方面に無縁の東吾としては、まことに具合が悪く、といって、兄をおいて先に帰るわけにも行かない。

止むなく、酒に酔ったふりをして庭へ出てみた。

向島の料理屋はどこも敷地が広く、大川からひいた水で池や小川を造っている。

東吾が武蔵屋の池のほとりまで出てみると、ちょうど月が頭上にみえた。足許には僅かだが萩の花が咲いている。

根岸の白萩屋敷を思い出して、東吾は萩を眺めた。兄の初恋の人である香月が歿ってから、あの白萩屋敷はどうなっているのだろうと思う。

そのとき、池のむこうの松樹のかげに人が動いて、東吾ははっとした。

だが、月光の中に姿をみせたのは、ここの店の女中のようであった。

「あの、御気分がお悪いのではございませんか」

そっと声をかけて来たのは、東吾が悪酔いでもして庭へ出ているのかと案じてくれたらしい。

「いや、ただの酔いざましだ。この家の庭はなかなか見事だな」

「月の夜もよろしゅうございますが、雪景色も評判でございます」

「あんたは、ここの奉公人か」

女が頭を下げた。

「こんな所で何をしている」

「お客様からお酒を無理強いされまして……あまり強くございませんので……」

「そういうことか」

東吾は笑って、相手を眺めた。

年は二十七、八だろうか、料理屋の女中にしては品のいい物腰であった。どちらかといえば愁い顔だが、その分、男心を惹きそうな美女である。

客が酒を悪強いしたくなるのも無理はないと思い、東吾は訊いた。

「ここの庭には、まだ他に萩を植えてあるのか」

「あたしは、ここへ奉公に来て間もないので、よく知りませんが……」

神林様、と廊下のほうから別の女中の声がした。

「そちらでございますか」

「俺は、ここだ」

手を上げてみせると、女中は庭へ下りて来た。

「お兄様がお帰りとのことでございます」

「左様か」

歩き出そうとすると、女中がいった。

「まあ、おようさん、どうしたのかと思ったら……」

おようと呼ばれた女は、すばやくお辞儀をして小走りに庭を抜けて行った。

「おようというのか、今のは……」

「はい、この夏から奉公に来た人で……」

廊下に通之進が立っていた。東吾は庭下駄の音をたてて、そっちへ近づいた。

「兄上、庭に萩が咲いていましたよ」

兄を八丁堀の屋敷まで送って、東吾が大川端の「かわせみ」へ帰って来ると、出迎えたるいが、

「先程、畝様がお出でになりましたのですよ」

という。

「あなたが兄上様と向島の武蔵屋へお出かけだと申しましたら、また、明日にでも、とおっしゃって……」

「源さん、何か用だったのか」

居間へ通って紋付を脱ぎながら訊くと、乱れ箱を持って来たお吉が、

「深川の二軒茶屋の松本で、大枚三百両が紛失したそうでございます」

例によって、るいより先に返事をした。

「なんだと……」

「仙鶴堂の御主人は商売が図に当って、一日で千両以上の売り上げがあったそうで、有頂天になっている中《うち》に、目の前から三百両が消えちまったらしいんです」

お吉、とるいがたしなめた。

「順を追ってお話ししなけりゃあ、旦那様がお困りですよ」

だが、東吾はお吉の話し方に馴れていた。

「仙鶴堂が松本で書画会でもひらいたのか」

「はい、十五夜のお月見を口実に骨董好きのお方を沢山、招待なさったとか」

「成程、即金で払ったのが三百両か。仙鶴堂はどこへおいたんだ」

「違い棚だそうです」

「客をもてなしていた部屋だな」

「左様です」

「そいつは厄介だな」

るいに着せかけられた浴衣に袖を通しながら、今夜、招かれた武蔵屋の座敷を思い出した。

季節柄、障子を開けはなし、酒肴を運ぶ女中達が絶えず出入りをしている。手水《ちょうず》に立つ客もあるだろうし、東吾のように庭へ出る客もある。

大商売をした仙鶴堂側は主人も奉公人も上気していたろうし、買い物をした客も興奮している。そこへ酒が出て、深川なら芸者も呼んであったろうし、加えて名月の夜であった。

満月を一層、美しく眺めるには、どうしても座敷の灯はひかえめになる。

「盗っ人には、おあつらえむきだな」

お吉が不満そうな顔をした。

「でも、お客も女中衆も大勢がお出でなさった中でございますよ」

「それが油断さ。みんなのみている前で金が紛失するわけがない……」

「仙鶴堂の御主人は、そうおっしゃったそうですよ」

るいが帯を結びながらいった。

「畝様に、とても信じられないと何度も繰り返されたとか……」

「深川は長助の縄張りだからな。源さんは何とかしてやりたいだろう」

それにしても、衆人環視の中で鮮やかに大金を盗んだ手口はなかなかのものだと東吾は思った。

「お集りになったお客様は皆さん御自分から申し出られて、畝様に所持品を検《あらた》めておもらいになったそうです」

「松本の奉公人もだろう」

「そちらは長助親分が調べたそうですけれど……」

「金は出なかったんだな」

それでなければ、畝源三郎が「かわせみ」へ寄る筈がない。

「この御時世に三百両は仙鶴堂も痛手だろう」

江戸で名の知れた老舗であった。

大名や豪商など、得意先も一流だと聞いていた。

「でも、やっぱり不景気なんじゃありませんか。お月見を餌にお客を招いて商売するんですから……」

相変らずお吉は辛辣《しんらつ》で、

「それにしても、あるところにはお金がごろごろしているんですかね。埃くさい巻物なんぞに何十両って払うお客がいるなんて……」

なんとなく忌々《いまいま》しそうな口ぶりであった。

翌日、東吾はいつもより早く「かわせみ」を出て、講武所へ行く道すがら、八丁堀の畝源三郎の屋敷へ寄ってみた。

畝源三郎は若党を従え、奉行所に出仕する恰好で屋敷の前の道に立っていた。

「なんとなく、東吾さんが寄ってくれるような気がしたものですからね」

「以心伝心という奴だろう」

幼友達のいいところは、それだけで通じ合い、肩を並べて歩き出す。心得て若党は一足後へ下ってついて来る。

「仙鶴堂の一件だが、何か目星はついたのか」

東吾の言葉に、源三郎が苦笑した。

「目星がつけば、かわせみには寄りません」

「しかし、客や奉公人の出来心という奴じゃなかろう」

「少くとも、どう調べても三百両は出て来なかったのですが……」

「あやしそうな奴はいなかったのか」

「三百両といえば、かなり嵩張《かさば》るものですから、ちょいと懐に突込んでというわけには行きません」

このところ天気がよくて、日本橋川沿いの道は乾き切っている。下手に大勢が歩くと土埃が立ちそうだが、今のところ、早足で行くのは東吾達ぐらいのものであった。八丁堀の組屋敷の中で、畝源三郎は出仕が早いほうである。

「買った骨董なんぞの箱の中にかくして持ち出すというのはどうなんだ」

「それは念入りに調べました」

「源さんなら、そうだろうな」

「あとは奉公人がどこかへかくす場合ですが、松本の奉公人はみな、身許がしっかりしていますし、長年、奉公している者ばかりでした。芸者も四人ほど来ていましたが、三百両どこへかくせるというものではありませんし、第一、芸者が違い棚の三方のところでうろうろしていれば、必ず、客の目につきます」

座敷で一番目立つのが芸者だと源三郎は笑った。

「四人の芸者に対して、客は二十人いたのですから、まあ、誰かが必ずそっちのほうをみているでしょう」

「三百両より女か」

「払ってしまった金は、客のものではありませんからね。誰も注意はしません」

「仙鶴堂も、なんだってそんな所へ大金をおいたんだ」

「おかげさまで沢山買って頂きましたという礼の気持で飾っておいたといっていましたよ。それに、座敷には少くとも三十人からの人間がいたのですから……」

「そこが盲点だな」

招待客に仙鶴堂の主人と奉公人、それから松本の女中や芸者などの他に、その座敷に出入りした者はなかったのか、と東吾が訊いた。

「例えば、先に帰った者とか、何かを届けに来たとか」

「今のところ、そういった者はなかったとみなが申して居りますが、思い違いということもあろうかと、その点は今日、長助がもう一度、一人一人に当ってみることにしていますが……」

「源さんは、誰かが座敷に出入りしたと思っているのだな」

「盗っ人が頬かむりに尻っぱしょりでもして入って来れば、誰でも気がつきます。その座敷に出入りしても目立たないような恰好だとどうでしょうか」

二十人の客はおたがいに初対面だったし、仙鶴堂の奉公人のすべての顔を知っていたわけでもない。

「東吾さんのいった盲点というのも、そのあたりでしょう」

「長助が何かを摑むといいがな」

「手前も午《ひる》には深川へ行きます」

「俺も講武所の帰りに寄るよ」

一石橋《いちこく》のところで東吾は源三郎と別れ、水道橋に近い講武所へ出かけて行った。

三

午後になって風が強くなった。

東吾が深川佐賀町の長寿庵に着いた時、畝源三郎はもう来ていて、座敷のすみで半紙を広げ、筆を取って、しきりに何か書きつけている。

「ぼつぼつだと思って待っていましたよ。長助が張り切って、蕎麦を打っています」

長助の女房が挨拶に来て、悴の嫁が麦湯を運んで来る。

「どうも天気が変りそうだな」

といった東吾に、

「さっき、佃島の漁師が来て、嵐が近づいているようだといっていました」

長助の女房が答えた。

「面白いことがわかりましたよ」

女達が去るのを待って、源三郎がいった。

「長助の手柄なんですが、昨夜の客の一人一人にあの座敷でみた客以外の者のことを問いつめたところ、どうもそこにいる筈のない人間が浮んで来たのです」

要するに、仙鶴堂の奉公人には、どんな年頃のどんな人相の者がいたか、女中、芸者の顔つきなどを訊ねてみたのだと源三郎はいった。

「これをごらん下さい。客の一人、大口屋芳右衛門からの聞き書ですが、仙鶴堂側の人間としては、主人の喜兵衛以下、番頭、手代二人の合せて四人。これは他の客の答とも一致しています。次に女中なのですが、大口屋がみた女中は五人で、女中頭のお貞というのは顔見知りです。あとの四人の中《うち》、二人は四十三、四、一人は小肥り、もう一人は痩せていて色が黒い。これは松本で訊いたところ、小肥りがおしま、色の黒いのがおきみでした。

四人目は十七、八、小柄で女中達の中では一番若いから、客のみんながはっきり記憶していました。女中頭のお貞の娘でおりき、昨年から松本へ奉公に出ています」

お貞、おしま、おきみ、おりきと四人の名を書いて、源三郎が東吾に他の客の聞き書をみせた。

「みんな、女中は五人いたといっているのです」

「五人目は、どんな女なのだ」

「年は三十そこそこという者と二十なかばぐらいじゃないかと二説あるのですが、細面でなかなかきれいな女だったらしいのですよ」

「源さん……」

東吾が目を笑わせた。

「その女にあてはまる女中は、松本にはいなかったんだな」

長助が蕎麦を運んで来た。

「お手柄だったな。長助」

東吾がまず、ねぎらい、長助は空いた手をぼんのくぼへやった。

「瓢簞から駒でございます。いろいろ訊いて居ります中に、松本には随分、いい女の女中がいたといった話になりまして……」

どこの料理屋の女中も、着るものは大抵、縞ときまっている。

松本でも、その通りで、帯だけは年相応の好みのものを各々が締めていた。

「ですから、最初は帯の色や柄で一人二人と数えようとしたんでござんすが、男の客ってのは、どうも着物だの帯だのは殆ど見て居りませんで、結局、年とか、顔形の話になりまして……」

女中頭母娘は別として、四十代の二人の女中に関してはかなり曖昧《あいまい》だった客が口を揃えて、

「そういやあ、一人、器量のいいのがいたっけねえ」

といい出した。

「松本で、昨夜、仙鶴堂の座敷へ出た女中を並べてみましたら、これが四人。客の何人かに頼んで首実検をしてもらいましたところ、もう一人いたと……」

「そいつが二十なかばか三十そこそこぐらいの、いい女ってわけだな」

東吾が蕎麦の箸をおいて合点した。

「松本には他にも女中はいるんだろうが、その中にも、そのいい女に当る奴はいなかったんだな」

「左様で……この際ですから、ずらりと並べて、みんなお客に顔をみてもらいました」

となると、そのいい女の女中が三百両を持ち去った盗っ人の可能性が強い。

「考えやがったな」

蕎麦湯を飲んで、東吾が忌々しげにいった。

「大体、女中の着ているものなんぞは似たり寄ったりだ。酒の出ている席に女中のような女がちょいと入って来て、適当に出て行ったって、誰も気にはしないだろう」

たまたま、女が美人だったので客の印象に残った。

「盗っ人にとっては、まあ不運ということになりますか」

源三郎が柄になく冗談をいい、三枚目の蕎麦をひきよせた。

腹ごしらえをすませて、東吾と源三郎、それに長助がついて、富岡八幡の二軒茶屋、松本へ向った。

本所深川は川の町というが、富岡八幡宮の周辺は殊に入り組んだ水路に囲まれている。なにしろ、門前に立派な舟着場があって、大川のほうから舟で来た参詣客はそこから上る。広場は茶店や商家に囲まれて居り、深川の岡場所はその附近から妓楼が軒を並べている。

舟着場の正面に富岡八幡宮の表門があり、その手前が二の鳥居、左右の道は門前町で深川一番の賑やかな通りであった。

佐賀町から歩いて来た東吾達は表門を入った。参道を行くと狭い水路に並んで二本の橋が架っている。一つはいわゆる太鼓橋の反《そ》り橋で、もう一つは平らな橋、参詣客の大方は歩くのに楽な平橋のほうを渡って行く。

参道は長く、絵馬堂、神馬舎、水舎と並ぶところに三の鳥居があり、その先に右に折れる道がついていて、葦簀《よしず》張りの茶店が並んでいる。

むかし、ここで、狸穴《まみあな》の方月館から遊びに来ていたおとせの息子の正吉を見失ったと東吾は思い出していた。

あれは、長助の初孫のお宮まいりの日で、社殿でお祓《はら》いを受けた赤ん坊の顔をみせてもらい、祝いをいっている中《うち》に事件が起った。

行方の知れなくなった正吉を探して、東吾も源三郎も長助も、徹夜で本所深川を歩き廻ったのが昨日のように思われるが、あれから十年もの歳月が過ぎている。あの頃、五つかそこらだった正吉も、今では立派に成長して少年ながら狸穴の方月館を守っている。

拝殿にぬかずいてから、男三人は茶店の前を通って、社殿の北東のすみにある弁天社へ続く広場を横切った。

二軒茶屋は弁天社の北側で、松本は富岡八幡宮の背後を流れる油堀川が南へ折れる水路の角地にあった。

松本の玄関は富岡八幡宮の境内に向いていて、屋根ののった門は戸が閉まるようになっている。

その入口には松本の奉公人らしい老爺が立っていた。

半天に松本の名が入っていた。

「与作爺さんで……、松本の玄関番でございます」

と長助がいい、与作は丁寧に頭を下げた。

「あんたは、いつもここにいて客の送り迎えをするのか」

東吾が訊き、与作は、

「午の刻前から、夜のお客様が残らずお帰りになるまでは、ここに勤めて居ります」

と答えた。

つまり、正午よりも早い時刻にここの戸口を開け、夜、最後の客を送り出すと戸を閉めるので、その間は門の脇に腰かけをおいて、ひかえている。

「只今は居りませんが、手前ともう一人、七造と申しますのと交替でございまして……」

交替といっても、それは一人が小用に立ったり、飯を食いに行ったりする場合で、

「普段は二人で、ここに居ります」

「すると、客以外の者が、ここから入って来れば、お前達の目に触れないことはないな」

昨夜、二十なかばぐらいの女中が、ここから入ったか、或いは出て行ったかしていないかと訊かれて、与作は大きくかぶりを振った。

「女中はここから出入りをすることはございません。お客様は一々、お名前を承ってお取り次ぎを致しますし、お帰りは駕籠屋が待っていることが多うございますので、そこまでお見送りをして居ります」

なんにしても、客以外の者は通していないといい切った。

「こちらからは左様なわけでございますが、舟でおいでになるお方は裏の舟着場からお入りになりますので……」

ちょうど、そこへもう一人の玄関番の七造が来たので、それに案内させて松本の建物に沿って廻って行くと庭があり、雪見燈籠などが配置されている。

「二軒茶屋の雪景色と申しますのが、昔から有名でございまして……ただ、水べりで寒いことは寒いので、この節は月見のほうが人気がありますようで……」

もう三十年以上も松本で働いているという七造は還暦を過ぎている年だろう、少々、足腰が弱くなっている様子であった。

「二軒茶屋の、もう一つ、伊勢屋のほうはどうなったのだ」

東吾が訊ね、七造が顔をしかめた。

「十年も前の御改革で伊勢屋さんもここも商売はまかりならぬとお達しを受けましたが、こちらは八幡様の境内で茶店をやったり、弁当の仕出しをしたりしてつないで居りまして、二年ばかりで御禁制がゆるんでから、また元のように戻りましたんですが、伊勢屋さんでは旦那が派手な御気性で、その分、お内証は苦しかったんでございましょうか、御改革の最中に、旦那が卒中で歿りまして、あっという間に店が潰れたと聞いて居ります」

「そりゃあ気の毒なことをしたな」

御改革の際には、何事によらず贅沢はいけないと町奉行所からお達しが出て、絹織物は着てはならぬ、金銀細工の飾り物はいけない、口のおごった料理を出す店は御禁制に触れるなぞと、万事にやかましく、江戸は火が消えたようだといわれたものだったが、それも僅か一、二年で前以上の贅沢がぶり返している。それがよいとは思っていない東吾や源三郎であったが、伊勢屋のような不幸せの話を聞くと、それもきっかけは御改革の故だったのかと苦い気持にもなる。

庭を抜けて建物の脇を行くとそこに舟着場があった。

水路に面して石段が築かれ、その先が松本の裏玄関に通じている。

「こっちには、玄関番はいないのか」

「おりません。舟が着きますと、船頭が声をかけますので、すぐ、女中が迎えに出て参ります」

深川の船頭ならみんな顔なじみだし、心得ているから、支障はないといった。

「見知らぬ客が舟で着いて、そのまま、勝手に入って行くというのは出来ない相談か」

東吾の問いに、七造がかぶりを振った。

「無理でございましょう。船頭は必ず声をかけて、お客を女中に渡すまでは戻りません」

仮にそうした事情を知らない船頭がお客を乗せて来たとしても、

「今は、まだ時刻が早うございますから、舟が居りませんが、もう暫く致しますと一艘や二艘の舟は必ずここに寄せて居りますので……」

客を迎えに来たり、或いは送って来たりして、そのまま待っている舟も少くないという。

「そういう舟の船頭が代りに声をかけますんで……」

その水路を永居橋のほうから一艘の猪牙《ちょき》が漕いで来た。客は乗っては居らず、船頭一人が棹をさしている。七造をみて、

「どうも、空模様がおかしゅうござんすね」

と挨拶した。

「新三《しんざ》さんはお客の迎えかね」

「いいえ、ちょいと用があって小梅のほうまで行った帰りでさあ」

「そりゃ、暑いところを御苦労さん」

すいと猪牙は油堀川を進んで深川佐賀町の方角へ漕いで行った。

「長助は今の船頭を知っているか」

東吾にいわれて、長助が首をひねった。

「深川じゃあまり見ねえ顔ですが……」

七造がいった。

「新三は近頃、浅草のほうの船宿で働いているようでして……元は深川育ちでしたが、ああいう連中はちょいとしくじると河岸を変えますんで……」

「新三は、なにをしくじったんだ」

「本当かどうか知りませんが、好きな女が吉原に身を沈めたんで、請け出す金を稼ごうと賭場に出入りをしてしくじったとか噂になったことがございます」

もう十年も前の話で、深川から姿を消した。

「もっとも、船頭でございますから、浅草にいたところで、お客が深川へ行けとおっしゃれば深川へ来ることもございます」

女中が呼びに来て、男達は舟着場に背を向けた。

四

仙鶴堂の座敷に姿をみせたいい器量の女中に関して、松本のほうではまるで心当りはないといった。

「手前どもでは、あまり女中の出替りがございません。ここ五年ばかりの中《うち》には、やめて行った者もなく、二十なかばから三十そこそこの年頃で細面の女中というのには心当りがないのでございますが……」

という主人夫婦に、女中頭のお貞も同意した。

「こちらは居心地がいいせいでございましょうか、あたしもそうなんですが、所帯を持ったり、子供を産んだりして一度、お暇を頂きましても、すぐまた戻って来て働かせて欲しいという人が多くて……旦那様はどうも、婆あの女中ばかりで困ったなぞとおっしゃいますが、その分、お客様のお顔もよくおぼえて居りますし、万事に重宝で……」

そのお貞にしても、美人で細面の女中というのは、わけがわからないといった。

「そんな女が、あのお座敷にいたというのも、私には信じられませんので……」

お貞だけではなく、他の女中も自分達以外の女中があの座敷にいたのを見ていなかった。

「もっとも、女中達は始終、お膳のものを運んだり、お酒がない、茶が所望と、お客様の御注文でいそがしく出入りをして居りますから、他の女中の顔なぞ見る暇もなかったと存じます」

と松本の主人がいうように、女中達にしてみれば、よもや座敷に自分達の仲間以外の女中が働いているとは夢にも思わなかったに違いない。

「その女にしても、まず、いつまでも愚図愚図している筈はない」

さりげなく入って来て、さりげなく立ち去るまでに、そう多くの時間を費しているとは思えなかった。

「それでも、いい女となると男はみんな見ているものなのだなあ」

松本の店を出てから東吾が呟《つぶや》き、源三郎が腕を組んだ。

「東吾さんのお考えだと、その女はかなり松本の店の中のことにくわしい。勝手を知っている奴の仕業ということですね」

どこからなら、人目に立たず松本の敷地内に入れるのか、家の中の間取り、更には、

「昨日、仙鶴堂の書画骨董の会が、あそこで催されるということを、どうやって知ったかです」

書画骨董の即売で、かなりな大金が集るとわかって忍び込んだのか。

「それとも、たまたま金があったので盗んで行ったというのかどうか」

源三郎にしても判断がつかない。

「どちらにしても、以前、松本で働いていた女中という線は消えたな」

東吾もいささかがっかりして富岡八幡宮の境内を歩いて行くと、

「若先生……」

永代寺のほうから歩いて来た若い衆が走り寄って来た。

永代の元締と呼ばれている俠客、文吾兵衛の倅の小文吾である。

「松本へお出かけだったんで……」

昨夜の事件はすでに耳に入っていたらしく、

「どうも、とんだことが起って、親父も驚いています」

ちょいと小鬢に手をやった。

「小文吾の家は三十三間堂の近くだったな」

二軒茶屋の松本とは、水路をはさんだ向い側の町である。

「昨夜、女中にしては器量のいい女を乗せた猪牙が松本から出て行くのをみた奴はいねえかな」

全くあてにしないでいった東吾の言葉に、小文吾の供をしていた子分の一人が、

「へえ、みました」

と声を上げ、東吾をびっくりさせた。

「みたのか」

少し、せき込んで東吾が訊き、

「みましてございます」

藤吉という子分は小さくなった。

「どこでみたんだ」

と小文吾が甲高くいい、

「元締の家の二階からみえましたんで……」

晩餉の後片付を終えて二階へ上った時だから五ツ半（午後九時）を過ぎていたかと藤吉はいった。

「窓から川をのぞいたら、灯を消している猪牙が油堀川をすっと行きますんで、月見の晩にしても危ねえなあと眺めていましたら、船頭の顔がみえました」

「誰だ、そいつは……」

「若親分、それが新三だったんで……」

ふっと東吾が源三郎と顔を見合せた。さっき、松本の舟着場で七造と挨拶した船頭の顔が浮んだ。年は三十なかばといったところか。

「その舟に、女中が乗っていたのだな」

源三郎が訊き、藤吉が頭を下げた。

「女中のような身なりの女が一人、むこうをむいていましたんで、顔はわかりませんが」

「舟はどっちへ行った」

「永居橋のほうで……」

まっすぐ行けば深川の木場、橋のところで北へ折れれば仙台堀へ出る。

「さっき、新三の舟は、永居橋のほうから参りやした」

長助が思わずといった調子で口をはさんだ。

「新三は深川生まれだそうだが、親は何をしていた」

小文吾が緊張した。

「新三のことなら、あっしよりも親父がよく知って居ります。只今、呼んで参ります」

「いや、こっちから行こう」

富岡八幡宮の表門を出て門前町を行くと三十三間堂がみえて来る。文吾兵衛の家はその手前の水路沿いで、まさに二軒茶屋の松本とは堀割をはさんで向い合っている。

子分が先触れをしたので、文吾兵衛は家の表へ出て東吾達を迎えた。

「とても、若先生方にお通り願えるような家じゃございませんが……」

しかし、居間はきれいに片づいていた。

「新三について、お訊ねと聞きましたが……」

親の代からの船頭で入船町の長屋に住んでいたという。

「新三の上に、二人、男の子がいたんですが二人共、餓鬼の頃に病気で死にまして、新三は一人っ子、親父も四十そこそこで歿って居りますし、二年ほどしてお袋も……ですから新三は身よりがなくなりました」

「好きな女が吉原へ売られて、請け出そうと博打に手を出したと聞いたが……」

「そいつは、大方、伊勢屋のおようさんのことじゃあございませんか」

二軒茶屋の潰れたほうの一軒で、

「おようさんは一人娘、とても船頭風情を相手にするわけがございませんで、新三の片想いってやつだと思います」

「およう は吉原に身売りをしたのか」

「あとで聞いたことでございますが、伊勢屋の旦那が急死したあと、随分と借金取りが押しかけて……お内儀さんは病身、まあ、そういうことで、まだ十五、六だったおようさんが苦界に身を沈めたとか。新三の奴はなんとか金の都合をしておようさんを取り戻そうと賭場へ出入りを致しまして、手前の目の届く限りでは、そう危いこともさせませんでしたが、それでは思うように大金は摑めません。意見はしてやったつもりでございますが、血の気の多い奴に通用はしませんで、荒っぽい賭場を渡り歩いて、大火傷をし江戸から逃げ出したとまでは知って居りましたが……」

いつの間にか、舞い戻って来て、また船頭をしているのかと、文吾兵衛は軽く吐息をついた。

「伊勢屋の娘は、どうしたんだ。今でも吉原に勤めているのか」

「とっくに、客に身請けをされたときいて居ります」

とすれば、新三は一人でから廻りをしたことになる。

「浅草の船宿というのを調べてみます。とにかく、新三をつかまえれば、なにかわかるに違いありません」

長助が勇み立ち、文吾兵衛が小文吾にいった。

「手前ら、地元のことだ。目立たねえように、長助親分のお手伝いをしろ」

だが、その翌朝、綾瀬川の関屋の里から数えて三つ目の土橋の下にもやってあった猪牙の中で、右肩から斬り下げられて絶命している新三の死体が、近くの百姓に発見され、番屋へ届けが出た。

「しくじりました。よもや、こんなことになろうとは……」

大川端の「かわせみ」に報告に来て、長助が歯ぎしりしたのは、昨日、あれから長助が小文吾の助けを借りて浅草の船宿を片はしから訊いて歩いた結果、橋場の船宿「よね川」で船頭新三の名が出た。

「新三でしたら、昨日、お客を送って行ってから帰って来ていません。大方、どこぞの賭場で熱くなっているんじゃありませんか」

と「よね川」でいわれて、長助は、

「昨日、新三が送って行った客というのは、どこの誰なんだ」

と訊いたところ、向島の料理屋「武蔵屋」の女房で、同じ橋場に灸おろしの上手な婆さんがいて、そこへ十日に一度は療治に来ているのだという。

「時刻からしますと、暮六ツを過ぎたばかりで……」

万一、二軒茶屋の松本で荒稼ぎをした女を乗せたのが新三だとすると「武蔵屋」の女房を向島で下してから、その女をどこかで乗せて深川まで行ったとも考えられる。

「盗みを働いた女は、たまたま、新三の舟を使ったのか、それとも、女と新三は以前からの顔なじみだったのか。俺はどうも新三が殺されたことからしても、女と新三は知り合いだったような気がするんだ」

長助は昨夜、「よね川」をひき上げる時に、新三が帰って来た場合を考えて、若い者を二人ばかり、橋場へ残して来ている。

けれども、結局、新三は「よね川」へ帰ることなく、綾瀬川で殺害された。

「若先生の御言葉ですが、よね川で訊いた限り、新三は賽子《さいころ》には目がないが、これといってつき合っている女はねえようだというんですが……」

「そうすると色のつきあいじゃねえのかも知れねえな。ひょっとすると、新三の奴が女の所業に気がついてゆすったのかも……」

長助が膝を進めた。

「検屍のお医者は、新三がやられたのは昨夜の中《うち》だと。なにしろ、あの近くの百姓が昨日の夕方、畑仕事の帰りがけに通りかかった時、土橋のところに猪牙もなけりゃ、死体もなかったといって居りますんで……」

綾瀬川のあの辺りは閑静だが、この季節、田畑で働く百姓の姿は決して少くないと長助はいった。

「喧嘩の果なんぞでしたらともかく、人目につかない殺しとなると、夜でもないと……」

「長助のいう通りだな」

小文吾に頼んで、賭場を当らせてくれと東吾はいった。

「よね川の船頭仲間にでも訊けば、この節、新三が出入りしていた賭場がわかるだろう」

長助は吉原へ行ってくれといった。

「どうも気になるのは、伊勢屋の娘なんだ。吉原から身請けをされて、どこぞに幸せに暮しているとわかれば、それでいいんだが……」

長助が「かわせみ」をとび出して行き、東吾は千春に湯をつかわせている離れの縁側へ行った。

昨夜、強い風と雨が通りすぎた「かわせみ」の庭に、もう穏やかな陽が戻っている。

るいとお吉と二人がかりでお湯に入れている千春は、さも気持よさそうに小さなあくびをしている。

「太平楽な奴だなあ。昼間っから湯に入りゃあがって……」

だが、るいの丹精で赤ん坊はこの夏、汗疹《あせも》一つ出来ず、ふっくらと色白でいよいよ愛らしさを増している。

「はい、では、お父様に少し抱いて頂きましょう」

湯上りに麻の葉の浴衣を着せられた千春をるいがそっと東吾の腕に托し、東吾は不器用な手つきで抱えた我が子をそっと揺らした。

「どこの親だって、大事に大事に我が子を育てるんだ。さきざき、どれほどの幸せがこの子の上に廻《めぐ》って来るのか、神仏の加護を祈りながら育てる」

伊勢屋の主人もそうだったろうと東吾は、ふと思った。よもや、一人娘が家の借財のために娼妓に身を落すとは考えもしなかったに違いない。

「あなた」

あっという間に眠ってしまった千春を、お吉が受け取って、奥の部屋へ寝かせに行ってから、るいがいった。

「伊勢屋の娘さんを、何故、お気になさいますの」

東吾は団扇で胸のあたりをあおいだ。赤ん坊を抱いただけで、汗をかいている。

「新三がその娘に惚れていたというのが、どうもひっかかるんだ」

片想いと承知していて、身請けの金を都合しようと必死になった。

「それから、もう一つ、伊勢屋の娘なら、すぐ隣の松本をよく知っていただろうし、同じ二軒茶屋の料理屋だったんだ。店の勝手も、客の出入りもわかるだろう」

「でも、何故、伊勢屋の娘さんが、昔のお隣さんへ盗みに入りますの。別に、松本の店に怨みがあるわけでもございませんでしょう」

第一、十年の歳月が経ってはいても、

「お隣の料理屋の娘さんだった人を、松本の御主人夫婦や女中さん達がおぼえていないというのはおかしくはありませんか」

首をかしげたるいを、東吾は眺めた。

「俺には十五、六の時のるいも、今のるいも同じ顔をしたるいにみえるさ。しかし、素人の娘が苦界に落ちたんだ。並みの十年の歳月じゃない。仮に面変《おも》りしても不思議ではなかろうと思うんだ」

ただ、るいのいう通り、松本へ盗みに入る動機がわからないと東吾はいった。

「俺の考えすぎならいいんだが……」

更に一日、まず、小文吾が知らせて来た。

「新三が出入りしていた賭場は本所の森川伊豆守様の下屋敷で……横川に架る業平橋の袂でございます」

小文吾がじかに賭場の者から聞き出したところによると、新三は死体で発見される前日、まだ宵の口から賭場へやって来たという。

「前夜から色女と一緒だったと御機嫌で、土産に酒を買って来て、みんなに振舞ったそうで、その夜の新三は、えらくついたらしく、二刻ばかりで十両の元手を倍にしたとかで、胴元に祝儀をはずみ、上機嫌で帰って行ったのが、亥の刻（午後十時）だったそうです」

こんな早くに橋場へ帰るのかと仲間が嫌味をいうと、

「小指《これ》が待っていると……」

「女が待っているから、亥の刻に賭場を出たのか」

新三の懐中には少くとも二十両近い金があったことになる。

「ゆすりに行ったんじゃないな。女に逢いに行った……」

だが、おそらくそこでか、その途中でか、新三は何者かに殺害された。

「小文吾は長助から聞いていないか、殺された新三の懐中に、金はあったか」

「財布も胴巻も持っていなかったと聞いて居ります」

「すると、金めあての人殺しってこともあるんだな」

新三が女の所へ向う途中、夜盗に襲われたという場合もありえた。

「いよいよ、厄介になっちまったな」

途方に暮れた東吾へ、小文吾がつけ加えた。

「森川様のお屋敷の賭場で、もう一つ、耳よりな話を聞いたんですが……」

森川家の当主は大変な骨董好きで、そこへ出入りをしているのが、仙鶴堂だと小文吾がいい出して、東吾はすわり直した。

「賭場で、そんな話が出るのか」

「あそこの賭場には本所の金持の隠居や、御家人衆も遊びに来ているんで……仙鶴堂が松本で月見をかねた催しをするってのは、大口屋の隠居が喋ったと申します」

たしかに大口屋はあの夜の客の一人であった。

松本での即売会のことは、およそ十日も前から森川家の賭場で話題になっていたから、当然、新三の耳にも入っていた筈だ。

「小文吾、よく聞いて来た。そいつはお手柄になるかも知れねえぞ」

誉められて、小文吾が帰り、夜になってから長助が畝源三郎とやって来た。

「東吾さんは、長助に伊勢屋の娘のことを調べさせたそうですが、実は、手前は仙鶴堂を内偵したのです」

そそくさと源三郎が口を切った。

「仙鶴堂に、何かあったのか」

「だいぶ出て来ました」

第一に江戸で名の知れた骨董商には違いないが、随分と阿漕《あこぎ》な真似もしているという。

大名や大商人の客を持ち、先方の好む品を納め、不要の骨董を引き取る。

「ざっくばらんに申しますと、いい客には間違いのないものを納め、引き取る時も相応の価で買い戻します。が、相手によっては少々疑わしいものもかまわず本物として売ったりする。これは、骨董屋なら誰もやることでしょうが、仙鶴堂の評判が悪いのは、骨董の収集家なぞが歿った後、家族がその方面に明るくないのを幸い、本物をも、疑わしいといい安く引き取ったりする。殊に十年前の御改革の際には、こうした物はお上の禁制品になっているから表向きには売り買いは出来ないと称して、自分が納めたものも他から買い集めたものも、まとめて二束三文で相手から取り上げ、あとになって大儲けをしたというのです」

東吾が膝を叩いた。

「源さん、それにひっかかったのは、伊勢屋ではなかったのか」

「その通りです。卒中で急死した伊勢屋の主人は骨董が好きで、長年にわたって集めた珍品が蔵一杯あったといいます。それを売れば、借金を返済するくらい何でもなかった。ですが、遺族から相談を受けた仙鶴堂は、言葉巧みに欺して持ち去ったので、その悪辣さは仲間内でも評判になったと申します」

折も悪かった、と源三郎は憂鬱そうにいった。

「伊勢屋の遺族が仙鶴堂の無法に気づいてお上に訴え出たところで、そうした御禁制の品を所持しているのはけしからぬとお叱りを受ける上に、没収される。どうも、仙鶴堂はそう脅して伊勢屋から品物を取り上げたようですが、結局、遺族は怖れて、どうすることも出来ません。それでなくとも、骨董というのは値があってなきが如きものです」

何百年前の欠け茶碗のようなものでも、好きな者は千金を投じても入手したいというだろうし、興味のない者には百文でも買う気がおこらない。

「従って、仙鶴堂のしたことは非道には違いありませんが、罪にはなりません」

「伊勢屋の娘が、仙鶴堂を怨む理由はあったんだな」

東吾の視線が長助へ向いて、長助が少しばかり、つらそうな顔をした。

「伊勢屋の娘、おようですが、吉原では伏見町の大黒楼から娼妓として出まして、五年ほどで谷中の寺の住職の囲い者になりました。ですが一年ばかりして住職が死んで、妾宅を叩き出されたそうで、その妾宅の隣の家の娘が浅草の料理屋の女中をしていたので、頼んで女中奉公をはじめたところ、案外、評判がよくて、だんだんといい料理屋へ移りまして只今は向島の武蔵屋に……」

東吾の脳裡で、なにかがはじけた。

十五夜の武蔵屋の庭で、女中が一人、東吾に声をかけて来た。あの時、その女中は東吾より先に庭の木かげに立っていた。

何故、武蔵屋の女中が庭にいたのか、その理由を、あの女は客に酒を無理強いされてと弁解した。

だが、東吾を迎えに来た別の女中はその女にむかって、確か、こういった筈だ。

「おようさん、どうしたのかと思ったら……」

どうしたのか、という意味は、どうして働く時刻になって姿をみせなかったのか、ということではないのか。

料理屋の女中が最もいそがしい時間に雲がくれしていたら……。

「東吾さん」

源三郎が低くいった。

「武蔵屋を調べたところ、おようはあの夜、夕方から姿がみえなくなって、おさとという女中が、東吾さんと一緒にいるおようをみたのは亥の刻を過ぎていたと」

仮に松本を逃げ出したのが五ツ半（午後九時）として、その直後に新三が女を乗せた猪牙をあやつって油堀川を去っている。仙台堀から大川へ出て向島まで、馴れた船頭なら充分、おようを向島まで送り届けることが出来た筈だ。

「源さん、おようを調べたのか」

「一応、番屋へ呼んで訊きました。当人は十五夜の日、頭痛がひどく、我慢が出来ないので川べりの草むらへ行って横になっていたと申しました」

その間に、長助がおようの身の廻りの品を調べたのだが三百両はみつからなかった。

「おようは住み込みなのか」

「そうです。ただ、おようは翌十六日、午より前に、近くへ用足しに行くといって武蔵屋を出ています。当人はそのことについて、近頃、夢見が悪いので柳島の妙見様へお詣りに行ったといいます。その時、風呂敷包を持っていて、帰って来た時は持っていなかったと申しました。風呂敷包に関しては、自分は何も持っていなかった、おそらく、仲間の女中の見間違いだろうと……」

「証拠がないな」

生き証人になる新三は殺害されている。

「おように、男はいないのか」

そいつが、新三の口をふさいだと東吾は考えている。

「武蔵屋の者は、おようの相手を知らぬのです。ただ、なにかの折に勤皇浪士が好きだというようなことを申したので、公方様に楯つく勤皇浪士を好きだなぞとはいうものではないとたしなめたところ、公方様の御親類の水戸様にも勤皇浪士がいますと笑っていたというのです」

それだけではなんともいえないが、もし、おように男がいたとすれば、勤皇浪士ということかも知れないと源三郎はいう。

「武蔵屋の近くには、水戸様の下屋敷がありますし、脱藩した連中がそこへ立ち寄るとも聞いていますが……」

その中の誰かとおようを結びつけるのは難しい。

松本へ入って、三百両を盗んだのは、元伊勢屋の娘だったおようと、東吾も源三郎も推量したが、証拠なしにはしょっぴけない。

だが、それから三日目。

吉原の「染川」という小見世から訴えがあった。

登楼した浪人風の男が支払った金に血がついていたので、主人が気にして、ひそかに相方の女郎に男の所持品を調べさせたところ、胴巻に百両からの金があり、しかも、その胴巻のすみに新三と書いてあったところから、大門の脇に詰めている町奉行所の役人に訴え出た。

で、大酔して寝ていた男を番屋へ同道させて取り調べたところ、最初は水戸浪人などといっていたが、どうも武士らしくない。問いつめてみると、松戸のほうから江戸へ流れて来た無宿人で松吉という者だとわかった。

胴巻に新三の名があったことから、調べは畝源三郎へ廻されて、この男が新三殺しを白状した。

松戸で博徒の子分となり、少々、剣術を習ったことから、浪人と称して本所の小梅村に住んでいた。この松吉の口からおようの名前が出て来た。

おようは捕えられ、松吉とは別に吟味方与力のきびしい取調べを受けた。

五

罪状が決ったのは八月の末であった。

松吉は武士でもない者が水戸浪人を名乗っていたこと、並びに新三殺しの下手人として獄門、おようは三百両もの大金を盗み、松吉に新三殺しを示唆《しさ》した罪によって八丈島へ流罪となった。

明日は島送りの舟に乗るという前夜、東吾は畝源三郎の計いで、おように会った。

僅かの間に、おようは痩せて、二十六という年よりも老けてみえた。

「運の悪い日に、運の悪い人に会っちまったんですね」

東吾のことを、畝源三郎から聞いたといい、おようは悪戯《いたずら》っぽい笑い方をした。

「あの時、あたしは三百両を袂の中に抱いていたんですよ」

それは気がつかなかったと東吾は答えた。

「あんた、仙鶴堂に復讐する気だったのか」

「人聞きの悪いことをいわないで下さい。むこうが私の家から盗んで行った骨董の代金を少しだけ取り返しただけなんです」

「そいつを、松吉に貢いだのは何故だ」

「あいつが水戸浪人、勤皇党だっていうからですよ」

「何故、勤皇浪人に肩入れする」

「あたしの家が離散したのは、公方様のお触れのせいですよ。料理屋をやっちゃあいけないと店を閉めさせられ、贅沢な品物は禁制だからと、仙鶴堂に二束三文で奪われる。みんな、あの御改革のせいじゃありませんか。公方様に楯突く者なら、勤皇浪人じゃなくたって貢ぎますよ」

「しかし、あいつはお前の金で妓を買いに行って正体がばれた」

「馬鹿な奴だったんですねえ、殺した男の胴巻を捨てでもすることか、自分が平気で使ってたなんて。おまけに小判に血がついてるのも気がつかない……松戸のごろつきだけのことはありますさ」

「なんで、新三を殺させたんだ。新三はぞっこん、お前に惚れてたんだ。あいつは捕ったってお前の名を口にしたかどうか」

おようが笑った。

「そいつはどうですかね。とにかく、あたしは人を信じませんから……」

横をむいた目のすみに光るものがあって、東吾はそれで自分の気持を納得させた。

大事に育てられた幸せな伊勢屋の娘が、人を信じないといい切るまでの歳月はあまりに短い。

それが人の世の怖しさだと東吾は考え、その片棒をかついだのは自分達役人だという思いが畝源三郎にはある。

牢獄の外は晴れていた。

さわやかすぎるような風の中を赤とんぼが群をなして飛んで行った。

名月《めいげつ》や

一

昨夜遅くなって降り出した雨が早朝に上って、秋のさわやかさを感じさせる大川端の旅宿「かわせみ」に棒手振《ぼてふり》が青物の荷をかつぎ込んだ。

ここ何年か、「かわせみ」の女中頭お吉が贔屓《ひいき》にしている弥七という男で、商売柄、まっ黒に陽焼けしているが、どことなくおっとりしていて篤実なところが女中達にも人気がある。

天秤棒に大きな籠を二つ下げ、その中に季節の野菜を、よくこれだけ持ち運べると感心するほど積み込んで、いの一番に「かわせみ」へやって来る。

「そりゃあ、うちは残りものなんぞ買いませんし、うちへ最初に運んでくれれば、毎日、たんと買ってあげてるんですから、荷だってずっと軽くなりますよ。弥七さんだって、そのあたりをちゃんと考えて河岸からまっすぐにやって来るんです」

お吉が得意そうにいう通り、近頃の「かわせみ」の客は殆どが賄《まかない》つきで泊っているから、朝夕の膳の用意には、けっこう多くの青物が必要になっていた。

もともと、江戸の旅籠《はたご》は素泊りが建前で、それというのも近くに便利な飯屋だの、湯屋だのがあって、そこで充分、用が足りるからであった。

その一方で名のある料理屋では、客の求めに応じて泊める場合がある。大体、江戸の高名な料理屋の大方は大川の近くにあって閑静な雰囲気も売りものになっていたから、誰でもというわけには行かないが、馴染客が酔ってそのまま泊ったり、或いは発句や囲碁の集りで夜を明かし、仮眠、旁《かたがた》厄介になって、朝餉をすませて帰って行くなどというのも珍しくはない。

「かわせみ」の場合は最初から大川端町にぽつんと一軒だけの素人宿屋であって、近くに気のきいた飯屋もなかったから、せめて朝飯だけは客の希望に応じて用意したほうがよかろうと考えたのが、思った以上に客から喜ばれ、だんだんに晩の御膳も頼めないかといい出す馴染が増えて来た。

そうなると、お吉の手料理では間に合わないから、新規の板前もおき、それ相応の料理が出せるようになっている。

「もうすぐお月見ですねえ。きぬかつぎがこんなに大きくなって来て……」

土間においた籠に大根だの、枝豆だの芋だのを取り分けながらお吉がはずんだ声でいっているのを耳にして、東吾はひょいと台所を覗いた。

講武所の稽古に出かけるところだったから、さっぱりした単衣に袴をつけ、脇差を腰にして大刀は下げている。

お吉や女中達は毎度のことで、惚れ惚れと見上げて、

「行ってらっしゃいまし」

とお辞儀をしたが、青物売りの弥七はちょっと驚いたらしい。慌てて土間に這《は》いつくばった。

「まあ、弥七つぁん、そんなにちぢこまらなくていいのよ。こちらはうちの御主人様なんだから……」

お吉が得意そうにいい、

「若先生、今日はお好きなきぬかつぎが入りましたから、どうぞおたのしみに……」

と東吾に告げた。

東吾はきぬかつぎにするような芋の類は好きでも嫌いでもないが、何故かお吉は好物と思い込んでいる。東吾のほうも、それを訂正する気はなくて、

「そいつはいいな」

笑って帳場に続く廊下を表へ出て行った。

で、千春を抱いたるいと、嘉助に送られて日本橋川のふちを行くと、八丁堀の組屋敷のほうから畝源三郎が来るのに出会った。

「東吾さんは今日、かわせみで団子の味くらべがあるのを御存じですか」

肩を並べるようにして歩き出しながら源三郎がいう。

「団子の味くらべだと……」

そんな話は聞いていなかった。

「長助の奴が、ちょっと事情《わけ》ありの男を連れて行くそうです。近く団子売りをはじめるとかで、その団子の味をおるいさんやお吉にみてもらいたいといっていました」

「それじゃ、うっかり早くは帰れないな」

「団子は八種類もあるとききましたから、まあ、君子危うきに近よらずですな」

「助かったよ。芋と団子の食べ合せは体に悪い」

「お吉さんが買い込んだんですね」

幼馴染の有難いところは、万事にのみこみが早くて、

「そういえば、間もなく月見ですな」

ほのかに秋を感じさせる風の中を笑い声が吹き抜けた。

往きにそうしたことがあったので、東吾は講武所の稽古が終っても少々、道場に残って次の槍術の稽古を見学したりして時を潰し、八ツ（午後二時）を過ぎてから退出して、いつもよりゆっくり大川端へ戻って来ると、帳場から出て来た嘉助が、

「どうも、若先生、えらいところへお帰りになりましたよ」

台所のほうへ顎をしゃくってみせた。

威勢のいいお吉の声にまじって、長助がぼそぼそと喋っているのが聞えて来る。

「まさか、まだ団子の味くらべをやってるわけじゃあるまいな」

「御存じで……」

「今朝、源さんに会って教えてもらったんだ。だから、時刻を見計って帰って来たんだが……」

随分、遅くに来たものだといいかける東吾に嘉助が手を振った。

「最初は午《ひる》より前に参りましたんで……。ですが、お吉さんがいろいろと注文をつけまして、作り直しをしてくるというので一度帰りまして、つい、今しがた……」

「そいつはあてがはずれたな」

立ち話をしているところへ、お吉が出て来た。

「まあ、若先生、いいところへお帰りで……只今、庄吉さんのお団子をお持ちしますので、どうぞ召し上ってみて下さい」

さあさあとせかされて、止むなく東吾は居間へ通った。

るいは離れで千春を寝かしつけているとかで、着替えをする暇もなく、

「とにかく、味をみて頂きましょう。ちょいと、誰か、若先生にお団子をお持ちして……」

自分は早速、長火鉢の横にすわってお茶の支度をはじめた。

団子を運んで来たのは女中のおすみだったが、その後から長助が三十五、六になるのだろうか、やや小柄で小肥りの男を従えて廊下へ膝を突いた。

「どうも若先生、毎度、おさわがせ申しまして……」

ぼんのくぼに手をやって恐縮している。

茶を一口飲み、女中のおいて行った鉢をみると、白、赤、黒、緑、黄と五色の団子が並んでいる。

「本当は、八種も作って来たんですけど、そんなにいろいろ作ったって仕方がない。五色ぐらいがちょうどいいといってやりまして、白は白隠元豆の餡、赤は梅紫蘇入り、黒は胡麻餡、緑は抹茶入り、黄色のは卵の餡でございます。まあ、食べくらべて下さいまし」

お吉にまくし立てられて、東吾は慌てた。

「これを、みんな食ってみろということか」

「五つとも召し上って頂けませんことには味がおわかりになりませんでしょう」

「驚いたな」

それでも東吾は苦笑しながら一つ、二つと平げた。

団子の大きさは女子供でも一口に食べられるほどなのと、甘いのと、酸っぱいのと、さっぱりしたのと、といった具合に各々、持味《もちあじ》が異るので、思ったよりも食べやすい。

「各々に旨いな。こいつは売れるよ」

うっかり、胡麻のが一番旨かったなぞといえば、

「では、もう一つ召し上りませんか」

と勧められるのがわかっているから、東吾は用心深く、茶を喫しながら答えた。

「左様でございますか。若先生が太鼓判を押して下さったのだから、庄吉さん、もう安心して、せいぜいお売りなさいよ。うちも及ばずながら贔屓にしてあげるから……」

お吉にいわれて、庄吉という男は何度も頭を下げ、長助とお吉に囲まれるようにして台所へ下って行った。

それを待っていたように、るいが居間へ入って来る。

「お帰りなさいませ。お出迎えも致しませんで……」

乱れ箱を運んで来て、着替えをという。

「千春は寝たのか」

「ええ、やっと……」

この頃は起きて遊んでいる時間がだんだん長くなって来ている。

袂から手拭を出して、るいは東吾の口許をそっと拭いた。

「お団子、五つも召し上ったんじゃございませんか」

「お吉が食えというからさ」

「私も二つ、嘉助は三つも食べさせられましたの」

「案外、旨かったよ」

「お午《ひる》より前の時が大変でした。八種類もございましたから……」

味も甘すぎたり、しつこかったりで、女中達もうんざりしたといいつけた。

「平気で頂いていたのは、お吉一人でした」

「災難だったな」

「長助親分なんか、気持が悪くなったといって、お茶ばかり飲んでいましたもの」

るいが笑いながら、東吾のために新しく茶をいれ直した。

「今朝の源さんの話だと、庄吉というのは、少々、事情《わけ》ありだそうだが、るいはその話を聞いているのか」

座布団にあぐらをかいて、東吾が訊き、単衣を衣紋掛けに通していたるいがうなずいた。

「午前中に長助親分から聞いたんですけど、庄吉さんというのは、深川の平清の悴さんなんだそうですよ」

「そいつは豪儀だな」

深川土橋の平清といえば、江戸で指折りの料理屋であった。

店がまえも立派だが、料理の評判もよい。客も高禄を取っている上級武士か富商といったところで、到底、庶民には縁がない。

「なんで、平清の息子が菓子職人の真似をしているんだ」

「先代の御主人が外に作ったお子さんなんだそうですけれど、長助親分の話だと、ちいさい時に木更津のほうへ養子に出されていて、最近、江戸へ戻って来たみたいなんです」

「養家を追い出されて来たのか」

「そのあたりのことは知りませんけど、姉さんの嫁入り先が、やはり深川の丸勘というお菓子屋さんなので、そこでいろいろなお団子を工夫して、自分で売って歩くらしいんですよ」

「売って歩く……店を持つんじゃないのか」

「御当人が、団子売りをするといっていましたから……」

平清ほどの老舗の血を引く者が、行商人になるというのは意外であった。畝源三郎がいった事情があるとは、そのことかと東吾は思った。

「お吉が肩入れしているのだと、当分、茶請《ちゃう》けはあいつの団子になりそうだな」

笑っているところへ、当のお吉がやって来た。庄吉と長助は帰ったらしい。

「明日っから、団子売りに出るそうですよ。お月見も近いし、案外、よく売れるんじゃありませんかね」

という。

「なんだって、長助はあいつの面倒をみているんだ」

「丸勘のお内儀さんに頼まれたんですって」

深川の門前町に丸勘という、これも老舗の菓子屋がある。

平清の娘のおしなというのが、そこの主人の勘五郎と夫婦になっているのだとお吉は東吾に説明した。

「今の平清さんの御主人は先代さんのお内儀さんの産んだ子なんですけど、おしなさんも庄吉さんも他に出来た子なんです。おしなさんのおっ母さんは深川の芸者だった人で、小梅のほうに家を持たせてもらって、先代さんの野辺送りにも、顔を出していたそうですし、おしなさんの嫁入りには平清からちゃんとした嫁入り支度をしてもらえたんですけど、庄吉さんのほうは平清の女中の子で、お内儀さんが立腹して暇を出し、実家へ帰ってどこかへ嫁入りしたもんですから……」

「それで、木更津へ養子にやられたのか」

「まだ、赤ん坊だったそうですよ。養家でもあまりよくしてもらえなかったみたいで、二十の時、そこの娘と夫婦になったものの、扱いは奉公人以下で、勝手に出来るお金は一文もない有様でしたって……」

「当人がそういったのか」

「丸勘のお内儀さんが木更津で聞いたそうです。庄吉さんが病気になってもお医者にもかけてもらえず、今にも死にそうになっているって、木更津の人がみかねて平清へ知らせてよこしたらしいんです。それで、平清の今の旦那が丸勘へ来て相談したとか」

「姉さんが行ったんだな」

「平清じゃ誰も行く気がなくて……長助親分の話だと、おしなさんというのは、あそこの一族の中じゃ一番、情の厚い人で、すぐに奉公人をお供に自分で弟を見舞に行ったら、まるで犬猫同然の扱いを受けていたので、お医者と相談して江戸へ連れて帰って養生させた上で、今度は丸勘の御主人が木更津まで行ってきっぱり縁を切って来たんですって」

お吉が涙声になった。

「丸勘のお内儀さんが、長助親分の前で泣いたそうですよ。もっと早くにこれこれだと知らせてくれたら、どんなことをしても小梅へ引き取って、三人で暮したのにって。庄吉さん、じっと一人で辛抱していたんですかねえ」

「庄吉は今、丸勘に居るんだな」

「そうです」

「いっそ、丸勘で働かせてもらったらいいじゃないか。なにも団子売りなんぞやらなくたって……」

「丸勘じゃ、旦那もおしなさんもそうするように勧めているんですけど、庄吉さんはこれ以上、厄介はかけたくないって……」

姉とはいっても、腹違いであった。ましてその亭主には遠慮があるのだろうと、東吾にも想像はつく。

「病気のほうは、もういいのか」

「食べ物を売る商売の人が、病気持ちじゃ困るだろうって、長助親分が宗太郎先生の所へ庄吉を連れて行って診て頂いたそうです。病気は風邪をこじらせたのと、長年の疲れがたまっていたせいで、もう心配はないとおっしゃって下さったんで、それから文吾兵衛さんの所へ行って行商の手続きをしてもらったんですと……」

「永代の元締までかつぎ出したか」

世間からは岡っ引だの、元締だのと煙ったがられたり、おそれられたりしているくせに、案外、気のいい連中が、不幸な生い立ちをした男に肩入れしている恰好が目に浮んで、東吾は苦笑した。

「まあ、そういうことなら、せいぜい、かわせみも団子を買ってやらなけりゃいけないな」

お吉が嬉しそうにお辞儀をした。

「若先生にそうおっしゃって頂けますと、安心でございます」

いそいそとお吉が居間を出て行ってから、るいが東吾の袖をひいた。

「あなたは本当にお吉に甘いから……存じませんよ、毎日、お団子を五つずつ食べさせられても……」

だが、るいは知っていた。お吉や嘉助が、自分にとってかけがえのない忠義者であるのを、誰よりも東吾が理解して、どんな小さなことでも、彼らの気持を大事にしようと考えていてくれる。それはとりもなおさず、るいに対する東吾の愛であり、女房への思いやりだとわかるだけに、胸が痛くなるほど幸せを感じるのでもあった。

帳場のほうに客の着いたような声が聞え、るいは、竹刀の手入れをはじめた東吾をちらとみて、そっと居間を出て行った。

二

それから三日経って、東吾が講武所から帰って来ると、帳場の脇に長助が途方に暮れた顔ですわり込んで居り、隣でお吉が喧々囂々《けんけんごうごう》といった調子で御託を並べている。

「どうした。団子売りがどうかしたのか」

声をかけると、慌てて出迎えに立って来て、

「どうも気がつきませんで申しわけございません。お帰りなさいまし」

お嬢さん、若先生が、と居間へ走っていく。

「毎度、おさわがせしまして……」

長助が小さくなりながら、

「団子売りはおかげさまで毎日せっせと売って歩いて居りまして、まあ、なんとかやって居りますんですが……」

「また、別口の厄介が舞い込んだのか」

「へえ、そいつがその……」

奥から千春を抱いたるいが出て来たのを見て、東吾は長助へいった。

「かまわないから奥へ来いよ。かわせみで遠慮することはない」

るいも傍からいった。

「旦那様がそうおっしゃるのだから、もう一遍、話をしてごらんなさいまし。下手に夫

婦別れになったりしたら、お子達がかわいそうですもの」

「どうも、穏やかじゃないなあ」

団子の次に何が出て来るのかと、東吾は長助をうながして居間へ入った。

「今日はちょっとお暑うございますから……」

とお吉が冷えた麦湯と一緒に五色の団子を運んで来たので、長助はいよいよ恐縮した。

「庄吉の奴が、毎日、こちら様で買って頂いていると申して居りましたが、若先生のお茶請けが毎日これとは、いやはや何とも申しわけのねえことで……」

しかし、東吾は長助に手を振って、麦湯を飲み、団子を一つつまんだ。

「五色あるんで助かってるよ。毎日、一つずつ、好きな奴を食ってる分には、そうも飽きない」

ところでと、うながした。

「誰が夫婦別れをしそうなんだ」

「いえ、まだ夫婦別れってことまでには至りませんが……」

深川佐賀町の裏長屋に住む弥七といいかけた所で、るいが補足した。

「うちへ青物を売りに来ている人なんです」

それで、お吉が勢いづいた。

「若先生、この前、ごらんになりましたですよ。きぬかつぎにするお芋を持って参りました朝に、台所をおのぞきになったじゃございませんか」

「ああ、あの棒手振か」

実直そうな男の顔を思い出して、東吾は長助へ訊いた。

「あいつ、女房がいたのか」

「へえ。餓鬼が二人、五つと二つで。ただ、その子はおやすの連れ子で、弥七の子ではございません」

おやすという女は弥七と同じ長屋に住んでいた大工の女房だと長助はいった。

「亭主が仕事先で足場の上から落ちまして、打ち所が悪かったんでございましょう、その夜の中に死にました」

今から丸一年ほど前のことで、

「おやすは赤ん坊を産んだばかり、その上にもう一人、四つの子が居ります。どうにも食って行けねえ様子なので、長屋の連中が相談しまして、三十なかばを過ぎても独り者でいた弥七に因果を含めて、二人を夫婦にしたんです」

おやすはまだ二十四、器量もそう悪くはない。

「子供でも居りませんでしたら、女中奉公でも出来る所だったんですが……」

乳呑子を抱えていては身動きがとれない。

「すると、弥七はいやいやその女と夫婦になったわけか」

「いえ、まあ最初はあんまり気が進まなかったようでございましたが、弥七というのは大変な子供好きでして、二人の子をそりゃあかわいがりました」

青物の棒手振は一日売り歩いて、大体一貫二、三百文、多くて一貫六、七百文がいいところで、その中、一貫文は翌日の仕入れや店賃に廻すので、残りは四、五百文となる。

「うちの婆あが弥七の女房から聞いたところによりますと、弥七はその中《うち》三百文をおやすに渡し、子供の菓子代に五十文、残りを貯めて居りますそうで……」

一日、せいぜい二百文でも、貯めておかないと、雨風の激しい日には自分が濡れるのはともかく、商売物がびしょびしょでは商いにならないので休まざるを得なくなる。そういった時のための用心であった。

「弥七って奴は酒も飲まず、悪い遊びも致しませんで、真面目一方に稼いで居りますんで、それでも急に女房子が三人も増えたんですから、物入りはかさみます。それでも五十文の子供の菓子代を減らすようなことはなかったと申しますから……」

お吉がせっかちに膝を進めた。

「おやすさんって人が箱根へ湯治に行きたいといい出したんだそうですよ」

「なんだと……」

その日暮しの長屋の女房が、箱根へ湯治というのは、まず身分不相応であった。

「以前、おやすさんが奉公していた神田のお店で、御隠居さんが箱根へ湯治に行くんでお供について来ないかとお声がかかったんです」

「おやすは御隠居さんのお気に入りだったのか」

「奉公人をつけてやるとお店のほうの手が足りなくなるからだそうですよ。道中のかかりは御隠居さんのほうで持つが日当は出さないなんて、けちな話じゃございませんか」

お吉が頬をふくらませる。慌てたように長助が話をひき戻した。

「日当はともかくも、おやすには二人も小せえのが居りますんで、とてもじゃございませんが、隠居のお供の出来るわけはねえんで……」

「おやすは行きたいのか」

「のようで……餓鬼は五つと二つ、留守番ぐらいは出来るからと……」

「おいて行くわけか」

「流石《さすが》に、弥七が苦情をいいました。子供の面倒をみていては、商いに出られねえ。小せえのだけで留守をさせておいて、なにかあっちゃあ取りかえしがつかねえと……」

「それで納得したのか」

長助がなんともいえない表情になり、即座にお吉が答えた。

「行っちまったんです」

「なに……」

長助が自分の娘の不始末のように恐縮した。

「今朝方、うちの倅が店を開けますと、蕎麦屋でございますから、若先生も御承知の通り、朝が早うございます」

とりわけ、長助の長寿庵は、場所柄、深川の岡場所からの朝帰りの客や、深川八幡《うち》へ朝まいりの帰りに寄ったりするのが案外多いので、他の店よりも早く、朝の中から客を迎える。

従って、夜明けにはもう蕎麦を打ちはじめるのが常のことであった。

で、長助の跡取り息子で、長寿庵の一切をまかせられている長太郎が蕎麦粉を練りながら、ひょいと外をみると、おやすが旅支度で永代橋の方角へ歩いて行くのがみえた。

「悴が追っかけまして、事情を聞くと、今から隠居のお供で箱根へ行く。亭主から許しをもらったからと、けろりといいましたそうで、まあ、悴をかばうわけじゃございませんが、亭主の許しをもらって出かけるというのを止めるってのもなんでございまして、そのまま、見送ったそうでございます」

大さわぎになったのは、間もなく長屋の者がやって来て、おやすをみかけなかったかと訊ねてからで、

「あっしがとんで行きますと、弥七は飯を炊いて、餓鬼に食わせて居りまして……」

ただ、二人の子は母親が居なくなったことに不安を感じているのか、弥七にまつわりついて離れようとしない。

「到底、商売に出られるような様子じゃございません。ですが、午すぎに弥七が下の子を背負い、上の子を連れて、あっしの所へ参りまして、明日からは必ず商いに出る、ついてはいつも贔屓にしてもらっているこちら様へ今日は無断で休み、とんだ御迷惑をかけてしまった、今から詫びに行くつもりだと、こう申しますんで、そんな恰好で行ったら、尚更、御厄介をかける。俺がついでがあるから、代りにお詫びをいって来てやると、

まあ、こういうわけでございまして……」

秋一番の蕎麦粉が入ったので、それを届けがてら、長助が「かわせみ」へやって来たのだという。

「ですが、お吉さんに、とんでもねえ女房だ、そういうのは、お上が番屋にでも呼び出して、ものの道理てえのをじっくり教えてやらなけりゃいけねえといわれちまいまして……」

ひょいとぼんのくぼに手をやった。

「冗談いっちゃいけねえ。出来の悪い女房をどなりつけるのは亭主の役目だ。口でいってわからなけりゃひっぱたいてやればいい。そんなつまらねえことに、お上がかかずり合っていられるものか」

お吉が情なさそうな声をした。

「ですけど、若先生、弥七さんはおとなしくて、とても女房をひっぱたくなんてことは出来ませんよ。下手をすりゃあ、逆に女房に撲られかねないんじゃありませんか」

東吾が笑った。

「そんなことはない。男は口じゃ勝目はないが、力ずくになったら、どんな気の強い女房もかなわねえものさ」

るいは別の心配をした。

「弥七さん、明日から商売に出るといったって、二人のお子をどうするんでしょうね」

「いえ、そいつは長屋のみんなで面倒をみるそうですから……」

どうもおさわがせ致しましたと何度も頭を下げて、長助はあたふたと帰って行った。

「長助親分はああいってますけど、二人も子供を抱えて、とても棒手振なんて出来やしませんよ。ああいう商売は二、三日休んだら、もうお得意さんを他の棒手振にとられちまうっていいますから、弥七さんも気が気じゃないでしょうがねえ」

お吉がしきりに気を揉んでいたが、その翌日、弥七は背中に一人を背負い、もう一人を伴った恰好で天秤棒をかついでやって来た。

「まあ、なんてこと……」

子供を下して休みなさいと、お吉は大さわぎしたが、

「なあに、その分、荷を軽くして出て来ましたから……」

弥七はたいして苦労という様子でもなく、笑顔で商売をして行った。

「あんまり無理はしねえほうがいい。体をこわしちまったら、なんにもならねえよ」

嘉助までが心配したが、その翌日の弥七は子供を連れていなかった。

「お内儀さんが帰って来たのかい」

途中から後悔して戻って来たのかと、お吉は早とちりをしたのだが、

「いえ、同じ長屋の人が、面倒をみてくれていますので……」

流石に弥七は、ほっとした表情で返事をした。

この年の江戸は立秋を過ぎてから残暑がぶり返して「かわせみ」ではいつ、簀戸《すど》を障

子に取りかえようかとるいが迷っている中に、月は次第に丸みを帯びて来た。

その日、東吾が深川の長寿庵へ出かけたのは、兄の通之進から、先だって届けてくれた新蕎麦は香がよく、まことに美味であったと賞められたのを長助に聞かせてやりたいと思ったのと、兄嫁の香苗《かなえ》から、

「珍しいものではありませんが、取り寄せるついでがありましたので……」

上等の棹《さお》菓子の包を長寿庵へとことづかったからであった。

長寿庵をのぞいてみると、釜場では長太郎が働いていて、

「これは若先生、親父はすぐ近まに行って居りますので、呼んで参ります」

挨拶のあとでいう。

「なに、別に急ぐわけじゃねえんだが、近まって、どこへ行ってるんだ」

御用の筋かと東吾は思ったのだったが、

「それが、弥七つぁんの女房が帰って来まして……」

ちょっと揉め事があったという。

「あいつの家はどこなんだ」

と訊くと、長寿庵のすぐ裏を一本奥へ入ったところの長屋らしい。

「弥七の女房ってのは、どんな女かみて来るよ」

笑いながら、東吾は長太郎の女房に案内されて、その裏長屋へ行ってみた。

どこの長屋もそうだが、路地の入口に小さな門のようなものがあり、そこに長屋の住

人の名前が書き出してある。

弥七の名札の横に団子屋庄吉という札があって、東吾はおやと思った。五色団子の行商をしている庄吉かと、ついて来た長太郎の女房に訊くと、左様でございます、という返事であった。

「あいつ、姉さんの店に厄介になっていたんじゃなかったのか」

もういいからと、長太郎の女房をかえして東吾は長屋の路地を入って行った。

狭い道の両側に三軒ずつ一棟になっている長屋が二棟ずつ向い合っている。

その奥のほうに長助の姿がみえた。若い女が、まるで犬が吠えるように長助へ叫んでいる。すっかり頭に血が上ったような長助が女に負けない声でどなったのが、東吾にも聞えた。

「いい加減にしねえか。庄吉はみるにみかねて、ここの家の面倒をみていたんだ。手前はさんざん好き勝手をして来やがって、まともな奴なら二度とここの敷居をまたげねえところだぞ。まず、庄吉に雑作をかけましたと礼をいうのが当り前だろう。それをいきなり水をぶっかけやがって、手前って女はどういう了見をしてやがるんだ」

「だからいっただろう。知らない奴が人の家へ上り込んで、米櫃《こめびつ》なんぞ開けてやがるから、てっきり盗っ人だと……」

長助の後のほうに庄吉がいた。着物の前がぐっしょり濡れている。

「おい、どうしたんだ」

肩越しに声をかけると庄吉が驚いてふりむき、長助もそれで気がついた。

「揉め事ってのは、なんだ」

長助がつくづく嫌になったという顔になった。

「おやすの奴が馬鹿なんで……。帰って来た時、庄吉が飯の支度をしてやろうと……」

「そういうことか」

庄吉に訊いた。

「お前、いつから、この長屋で暮すようになったんだ」

「おやすさんの出かけて行った日だったようで……ちょうど、弥七さんの隣が空いたと教えてもらいまして……」

つまり、入れ違いで、おやすは庄吉の顔を知らなかった。

「それにしたって乱暴な話ですよ。お前さんは誰かと聞けば、それですむものを……」

向いの家に住んでいるという糊売りの老婆がおやすを非難した。

「よく帰って来られたもんですよ。有り金さらって逃げちまったくせに……」

婆さんのいうのを聞くと、おやすは弥七が貯めておいた五両ばかりの金をそっくり持って旅に出たらしい。

「箱根から帰って来るにしちゃあ、ちっと早いじゃないか」

東吾が弥七の家へ顔をのぞかせていうと、べったりすわり込んでいたおやすがふんと鼻を鳴らした。

「隠居と喧嘩しちまったんですよ。奉公人でもないのに、勝手なことばっかりいうもんだから……」

「お供をやめて帰って来たのか」

「小田原の手前まで行ってましたからね。そのまま引き返すのも癪だから、江の島へ寄って弁天様にお詣りして来ましたよ」

骨折り損のくたびれもうけだとうそぶいた。

「お前のような女に何をいっても無駄だろうが、弥七の気持も考えろ。長年貯めた金を一文なしにされ、赤の他人の子を押しつけられて。天秤棒でぶんなぐられたって仕方がねえと思え……」

長屋の入口を、二人の子を湯屋へ連れて行ったという弥七が帰って来た。すでに長屋の誰彼から話を聞かされて来たらしく、走って東吾と長助の前へ来ると何度も詫びをいい、庄吉にも頭を下げた。だが、

「おっ母ちゃんが帰って来た」

と叫んでとび込んで行く二人の子のあとからわが家の敷居をまたいだ弥七が、女房をどなりつける声は聞えなかった。

「あいつが思いきり、ひっぱたいてくれりゃあ、こっちも少しは気がすむんですがねえ」

長助が肩をすくめ、東吾はその長助をうながして長屋を後にした。

三

明日は十五夜という日の朝に、長助が「かわせみ」へ来た。

弥七が夫婦別れをしたという。

「実は、おやすが帰ってきた翌日に、二人の子が仙台堀へはまって死にました」

弥七は商売に出て居り、おやすは家で午寝をしていた。二人の子供は仙台堀のふちで遊んでいたらしい。

「近所の子がみていたそうですが、上の子が蜻蛉《とんぼ》を追いかけていて、足許にまつわりついて来た下の子に蹴っつまずいて二人共、仙台堀へ落ちたようで、たまたま通りかかった猪牙《ちょき》の船頭が浮び上って来たところをみつけてすくい上げた時には二人とも息がなかったと申します」

流石に長助が重い口調で告げた。

「子供さんの死んだことと夫婦別れとつながりがあるんですか」

お吉が訊き、長助が合点した。

「家主に、弥七がいったそうです。子供がかわいかったから我慢をして来た。もう一緒には暮せないから三下り半を渡したと……」

「おやすはどうした」

と東吾。

「あっさり出て行ったと長屋の連中が申しますんで……糊売りの婆さんには、子供がいなけりゃ、どこへ行ってもお天道《てんと》さんの陽が当るといったってことでして……」

それはそうかも知れない、と東吾も思った。

弥七の家で悪態をついていたおやすは、まだ若く、化粧をして着飾らせれば、まだまだ男が寄って来るに違いない。

「弥七はどうしている。女手がなくなって困っているんじゃないのか」

東吾の言葉に、長助が手を振り、少しばかりいいにくそうに女達を見廻した。

「そいつがその、庄吉が何かと面倒をみているそうで、長屋の連中の口真似をすりゃあ、嬶《かかあ》がいる時分より小ぎれいに暮しているらしいんで……」

といって、おかしな仲というのではなく、

「庄吉も木更津では、さんざん女房に泣かされたといいますし、どっちも女房にはつくづく愛想をつかしていますんで、男同士、助け合って暮しているてえ案配でございましょう」

どことなく羨しそうな口ぶりでいい、長助は帰って行った。

「弥七さんってのは、子供好きだったから、おやすって女と夫婦になったんですかね」

「いや、そうじゃなかろう。一緒に暮していて、子供に情が移ったのさ」

お吉と嘉助がいい合いをし、るいは、

「どういうんでしょう、自分の子が二人とも歿ったっていうのに、おやすさんって人は子供がかわいくなかったんでしょうか」

信じられないという顔をした。

「おやすの最初の男は、どんな奴だったか知らねえが、あんまりいい亭主じゃなかったのかもな。そういう男の子供だと情が湧かねえってこともあるんじゃねえのか」

けれども、東吾からその話を聞いた畝源三郎はあっさりと笑い捨てた。

「東吾さんもおるいさんも育ちがいい分、考えが甘いですよ。手前が手がけた捕物の中で食うに困って子供を捨てただの、好きな男が出来て、亭主との間に出来た子を殺した女なんてのは、いくらでもいます。世の中、けっこう、せちがらいものですからね」

「あん畜生、きいたふうなこといいやがって……」

友人の後姿に舌打ちした東吾だったが、十五夜の日、講武所への道すがら、日本橋川のところで、荷をかついで来る弥七に出会った。

ふとみると、荷のすみに尾花がひとつかみ束になっている。

「そいつは、得意先に頼まれたのか」

わざわざ、荷を下して、丁寧に東吾へ挨拶した弥七に、なんとなく訊いてみると、

「売り物ってわけじゃございませんので。その、今夜のお月見にちょいとお供えしてえと思いまして……」

きまり悪そうな答であった。

その時の東吾の気持は、裏長屋に住む者にも風流っ気はあるのだなと思った程度だっ

たが、今度は講武所の帰り道で、庄吉に出会った。

「団子はよく売れてるか」

と聞くと、今日はもう売り切ったという。

だが、庄吉は片手に団子包を一つ大事そうにぶら下げている。東吾の視線がそれに行くと、慌てたように、

「こいつは売れ残りじゃございません。今夜はせめて、弥七さんとお月見をしようと約束して居りますので……」

いそいそとした足取りで永代橋を渡って行った。

その夜、夕化粧もひときわあでやかなるいと並んで「かわせみ」の縁側から大川の上の満月を眺めて、東吾は人はそれぞれだと改めて思った。

深川の長屋では弥七と庄吉の二人が、一日の汗を流してしみじみ月を眺めているかも知れない。

そして、おやすはどこで、今年の十五夜を迎えているのか。

夕月は冴え冴えと、江戸の町を白く照らしている。

紅葉《もみじ》散る

一

神林東吾は早朝に大川端の「かわせみ」を出て、八丁堀の兄の屋敷へ向った。まだ夜は明け切って居らず、大川からの風は秋の終りを告げるかのようにひんやりしている。

兄の屋敷の前には麻生宗太郎が旅支度で立っていた。

「早いな」

東吾が笑い、宗太郎が、

「一足違いですよ」

と白い息を吐いた。

奥から兄嫁の香苗が、夫に見送られて出て来る。

「お待たせ申してあいすみませぬ」

二人の義弟に挨拶をし、夫をふりむいた。

「では、行って参ります」

「滝川どのによろしゅう。道中、気をつけてな」

香苗が駕籠に乗り、通之進が東吾と宗太郎へいった。

「御苦労だが、頼むぞ」

駕籠が上り、男二人がその後に続いた。

八丁堀は日本橋川から立ち上る朝霧が白く流れている。

品川の御殿山の近くに、旗本、滝川大蔵の隠居所があった。

神林兄弟の亡父と親交があり、麻生源右衛門とは竹馬の仲である。

その大蔵が古稀を迎え、ささやかな祝いの催しをするという知らせが、神林、麻生の両家に届いた。

で、麻生源右衛門は前夜から品川の滝川家へ泊り、通之進の代理として妻の香苗が、東吾と宗太郎と共に今朝、八丁堀を発ったものである。

「御殿山へ出かけるのは二年ぶりだな」

宗太郎と肩を並べながら、東吾が思い出した。

「この前の時は大騒動だった」

「七重《ななえ》が昨夜、いっていましたよ。滝川家の隣家で人殺しがあって、源太郎君と花世《はなよ》が一役つとめた一件でしょう」

やはり、滝川家の茶会の催しに、香苗と七重、それに、るいと、畝源三郎の妻のお千絵《ちえ》が出かけていったのは、いずれも、滝川大蔵の妻女から娘の頃、茶道の教えを受けていた縁からだったが、それに東吾が花世と源太郎の子守り役といった恰好でついて行った。

花世と源太郎は茶会の間、庭でかくれんぼをしていて隣家の殺人事件にかかわり合いを持ったのだったが、早いものでそれからもう丸二年が過ぎている。

「花世はおかんむりでしたよ。てっきり、自分も連れて行ってもらえるものと思っていたらしいのです」

「あんなことがあったのに、懲りないんだな」

「女のくせに無鉄砲で……いったい、誰に似たのかと思っていたら、天野の父がいうのですよ。お前の子供の頃にそっくりだと……」

「そういわれてみると、おぬしも相当の無鉄砲だな」

将軍家の御典医の嫡男に生れながら、家をとび出して蘭方を学びに長崎へ行ってしまった。

「そういえば、おぬしは長崎へ行く前に勘当されたんだな」

「天野の父も困ったようですよ。あの頃は、まだお上が洋学を禁止して、洋学者を目の敵にしていたでしょう。わたしがつき合っていたのは、そういう連中でしたから……」

しかし、ここ十年ばかりの中に、幕府の方針は大転換をした。

洋学所が設立され、アメリカ、イギリス、フランスとあいついで修好通商条約が結ばれ、神奈川、長崎、箱館の三港を開いた。

そうした流れの中では、もはや、蘭方とか洋学とかの言葉に目くじらを立てることもなくなっている。

だが、東吾はこの友人の本当の胸の内を知っていた。

若い日の宗太郎は、天野家を腹違いの弟に継がせることで、継母の気持を安らかにしたい願いがあったのだと思う。

宗太郎の母は今大路成徳の長女だったが、宗太郎を産んで間もなく他界し、その後添えとして、成徳の次女が天野家へ嫁して宗二郎、宗三郎の二人の子をもうけた。

この中、宗二郎は母の実家である今大路家を継ぐことが決って居り、天野家は、宗太郎が麻生家へ養子に入った後、三男の宗三郎が跡継ぎと決った。

いってみれば、三方めでたしの形になったのだが、宗太郎が長崎へ留学する頃の天野家は、けっこう複雑だったようで、あくまでも総領を天野家の継承者にと考える父、宗伯と、内心は自分が腹を痛めた宗二郎に天野家を継がせたいと願っている継母との間に、少々の確執があったらしい。

宗太郎は、そうした両親の気持を判断して、長崎へ逃げ出したというのが真相だろうと東吾は推量していた。

もっとも、天野家の三兄弟は両親の思惑に関係なく、非常に仲がよい。

汐留あたりですがすがしい朝になった。

「滝川どのからの使の者が申していましたが、今年の御殿山の紅葉はとりわけ見事なようですよ」

八丁堀から品川の御殿山まで、およそ二里の道のりで、東吾と宗太郎だけなら一刻(約二時間)もかかりはしない。

のんびり行くのは、駕籠に乗っている香苗のためで、東吾は大木戸の茶店で一服することにした。

このあたりから高輪にかけては袖ヶ浦と呼ばれる海辺が広がっていて、なかなか見晴しがよい。

「義姉上《あねうえ》、安房上総の山がみえますよ」

宗太郎が海のむこうを指し、香苗が小手をかざした。

東吾のほうは茶店で団子を買って来て、駕籠かきにもふるまい、自分も食べている。

空は晴れ渡って、白雲一つみえない。

「陸にいるのが惜しいような軍艦日和だな」

東吾が沖を眺めて呟《つぶや》いたくらい、江戸湾は美しい青に染まっている。

やがて、香苗は再び、駕籠に乗った。ここから滝川大蔵の隠居所までは半里もない。

御殿山の麓は鮮やかな紅葉であった。

本来は桜の名所だが、その葉も美しく色づき、更に楓が風情を増している。

東吾達が到着した時、滝川大蔵はすでに参会している客達を菊畑に案内していた。

毎年、菊作りの職人が丹精するという菊畑は花の香に包まれて息苦しいほどであった。

「思ったより早かったの」

麻生源右衛門が、まるで当家の主人といった様子で出迎えた。

招かれた客がみな揃ったところで、午餉《ひるげ》が供され、それが済むと茶の湯のもてなしに移った。

滝川家の奉公人が異変を知らせて来たのは、客がぼつぼつ帰りかける頃で、

「表で、人が斬り合っているとか申すのでございますが……」

巻きぞえになるのを怖れて、滝川家へ逃げ込んで来た者の知らせらしい。

「ちょっと見て参ります」

早速、東吾がとび出して行き、宗太郎が続いた。

御殿山のこのあたりは、街道から少々、入り込んでいるので、それほど人の通行は多くはない。

ただ、紅葉の美しい季節なので、その風情を楽しみながら散策する人々があり、滝川家へ難を避けて来たのも、そうした者らしい。

御殿山の林の中の道は西陽が当っていた。

その附近には人の姿はなく、やや、上のほうで悲鳴が聞えた。

ゆるやかな斜面を東吾が駈け上ってみると、家族連れらしいのが、どっと走って来る。

東吾をみると、怯えたように立ち止った。

「どうした。なにかあったのか」

穏やかに東吾が訊き、主人らしいのが、逃げて来た方角を指した。

「人が斬られて……女の人が逃げて……」

「この先か……」

「はい」

教えられた方角へ行くと、いきなり前方がひらけた。

紅葉の根方に女が追いつめられていた。右肩のあたりを片手で押えている様子は手傷を負っているのか。

東吾が跳んだ。

「狼藉者ッ」

声と同時に女を追いつめていた侍を背後から突きとばし、女を後にかばって立った。

抜刀している相手は三人、いずれも旅支度の武士である。

「どけ」

その一人が、東吾へ顎をしゃくった。

「邪魔立てすると、その分には捨ておかぬぞ」

言葉に訛《なま》りがあった。

「驚いたな。どこの田舎っぺえか知らねえが、野郎が三人がかりで女を斬ろうてえのは、随分とみっともねえお国柄じゃねえか」

伝法な口ぶりとは別に、東吾は油断のない目を三人にくばった。

素浪人ではなく、三人共、然るべき藩士とみえる。

「面倒な、斬れ」

一人が苛立って叫び、東吾の左右から二人が突っかけて来た。躱《かわ》しざま東吾は抜き打ちに一人の太股を裂き、返す刀で、もう一人がふりむいて攻撃に移る瞬間をねらって小手を斬った。その東吾の背後から凄い太刀風が襲った。

宗太郎がみたのは、この第三の襲撃だったが、東吾の体は柳のように撓《しな》って、正確に相手の両膝を断ち割っていた。

殆ど一瞬の中に、三人の侍は地面にころげて闘志を失っている。

「お見事ですな」

走り寄っていったのは、東吾が相手を殺さず、とりあえず動けないようにしてのけたのだというのがよくわかったからで、咄嗟の場合にそうした配慮が出来るのは、三人の男と東吾の腕に格段の差があればこそだと、今更ながら感嘆が口に出た。

だが、紅葉の根方に倒れている女を東吾が抱き起し、その顔をみた宗太郎が、日頃の彼らしくもなく愕然として叫んだ。

「琴江どのだ」

それで、東吾も気がついた。

たしかに、肩先から血を流し、気を失いかけているのは、麻生宗太郎の妻、七重の友達の清水琴江。立花藩の大村家へ嫁入りして未亡人となっている女性に違いない。

「東吾さん、手を貸して下さい、どこかに運んで手当をしないと……」

肩のあたりを宗太郎が手拭で縛ったが、それもみるみるまっ赤になる。

倒れている三人は、いずれも命に別状はないとわかっているので、とりあえず、東吾と宗太郎で琴江を御殿山から運び下しかけると、途中で、滝川大蔵と麻生源右衛門、それに滝川家の奉公人が上って来るのに出逢った。

「これは、清水の琴江どのではないか」

麻生源右衛門が驚き、宗太郎が、

「どこか近くに知り合いはありませんか。なるべく動かしたくないのです」

というのに、滝川大蔵が、

「そこの高源院なら懇意にしているので……」

先に立って案内した。

「東吾さんは、あとの三人を運んで来て下さい」

宗太郎の言葉で、東吾は滝川家の奉公人達と再び、御殿山へ上って行った。道々、一緒について来た麻生源右衛門に、いきさつを説明した。

「それはよい配慮であった。いずれの藩士にせよ、事情を糺明《きゅうめい》せねばならぬ。殺さずにおいたは東吾の手柄じゃ」

源右衛門がいい、

「それにしても、何故、琴江どのを斬ろうとしたのか、合点が行きません」

神妙に東吾も答えた。

だが、先刻の場所へたどりついて、東吾はあっけにとられた。

三人の武士は、完全に絶命していた。三人共、左の胸を深くえぐられている。

「いったい、誰がこのような……」

東吾が周囲を見廻し、斜面の先の道まで見に行った滝川家の奉公人が、まっ青になって戻ってきた。

もう一人、むこうに死んでいるという。

それは、五十すぎの従僕とみえる姿の男であった。全身を膾《なます》のように斬られて血達磨のような有様であった。

血のかたまり具合からすると、どうも、東吾が三人の武士を相手にしたよりも前のような感じである。

ひょっとすると、この老僕は琴江の供で、斬ったのは三人の武士達ではなかったかと東吾は思った。

滝川家の奉公人が手わけをして、四人になった死体を、高源院へ運んで行くと、滝川大蔵がとび出して来た。

「麻生殿が、神林殿が戻られたら、すぐ来て下さるようにと……」

方丈の裏の広縁のところに布団を敷いて、琴江は寝かされていた。

布団からのぞけた肩に、宗太郎の巻きつけたらしい白布が血にまみれている。

「品川の知り合いの医者の所へ必要なものを取りにやった。なにしろ、なにもないのだ」

東吾の顔をみて沈痛にいった。

「気になることがあるのだ」

手当をしている最中に、琴江が麻太郎の名を呼んだと聞いて、東吾の顔色も変った。

「麻太郎だと……」

「国許に残して来ているのなら、いいが……」

昨年、琴江は亡夫の主家である柳河藩立花家の姫君が、多度津の京極家の嫡男と縁組が調い、姫君のお供をして多度津へ行ったのだと宗太郎は早口にいった。

「その折、麻太郎も母親について行った」

そのことは、東吾も承知していた。

麻太郎という少年が、或いは自分の子ではないかと疑い、出来れば手許にひき取りたいと申し出た東吾に対し、宗太郎を介して、琴江は、あくまでも亡夫の子であるといい切って、手放すことを拒んだ。多度津へ発って行ったのは、その後のことである。

「琴江どのが、麻太郎と共に江戸へ戻って来たというのか」

「わからぬ。だが……」

二人の声が耳に届いたように、琴江がうめき声を上げた。

「琴江どの、わかるか、麻生宗太郎だ」

宗太郎が、琴江へいった。

「ここには、神林東吾どのも居る……あなたを救ったのは、東吾どのだ」

苦しげに琴江が体をよじり、必死の表情で左手を動かした。

「琴江どの」

東吾が声をかけた。

「麻太郎……麻太郎……」

「麻太郎は、どこだ……」

「あの子を……助けて……」

「一緒だったのか」

「あの子を先に……追手が……追手が……」

ふっと琴江の意識が切れた。吐く息が苦しげである。

「東吾さん」

「麻太郎は、江戸へ向ったのだな」

おそらく、追手から逃げ切れないと悟って、琴江は我が子を途中から逃がし、自分は囮《おとり》となって御殿山へ向ったのではないかと東吾も宗太郎も判断した。

「俺は、麻太郎を捜す」

東吾が立ち上った時、庭のむこうに滝川大蔵の姿がみえた。

「こちら様が、その御女中を探してみえられましたが……」

がっしりした体つきの若い侍が、大蔵の脇から、こっちをのぞいた。

二

その侍は京極壱岐守の家来、仁村大助と名乗った。

「若殿房之助様の密命を受け、琴江どの母子を江戸へ送り届けるお役目を承って、多度津を出て参りました」

今朝は早くに神奈川の宿を発ち、川崎から六郷川の渡しまで来たあたりから、琴江の気分が悪くなり、それでも大森までなんとか来たものの、遂に歩けなくなった。

「琴江どのには心の臓に持病があり、道中も難儀して居りました。それ故、品川まで参れば医者もあるやに思い、それがしが一足先に参って、然るべき医者を伴い迎えに参る旨申し上げ、品川へ先行致しました」

で、医者を求めたが、どうも教えられた先が不在であったり、患者が混んでいたりで、望ましい返事がもらえず、止むなく、薬をもらって後戻りしたが、いくら行っても琴江の一行と会わない。

「道々、人に訊ねつつ、またこちらへ参りますと、御殿山のほうで、なにやら騒ぎがあったとのこと。それから、尋ね尋ねて、漸くここまで参りました」

半死半生の琴江の様子をみて、茫然としている。

国許を出たのは、琴江に麻太郎、それに従僕の吉之助と、仁村大助の四人であったといい、同じ高源院に運ばれた四人の死体をみて、一人は吉之助、その他の三人の侍はいずれも、京極藩士であるといった。

「東吾さん、すぐに、麻太郎坊やを追って下さい」

宗太郎がうながした。

国許からの追手が御殿山で死んだ三人だけならよいが、他にもいるとなると、麻太郎は危険であった。

それでなくとも、麻太郎は六歳の少年である。

どんなに利発でも、たった一人での道中はおぼつかない。

「麻太郎は、京極藩の屋敷をめざしたのだろうか」

上屋敷は麻布六本木、下屋敷は白金新堀川沿いである。

なんのあてもなかったが、東吾は高源院をとび出した。

追手を避けて逃げるとすれば、本街道ではなく、脇道を行くとは思うものの、六つの子にそうした才覚があるだろうか。

第一、麻太郎にとって、本街道と脇道も全く見当がつかないに違いない。

夕暮が近づいていた。

気配でふりむくと、仁村大助がついて来る。

「あんた、死体の始末は……」

東吾がいうと、

「それは、いつでも出来ます。それがしも麻太郎が心配なので……」

京極家上屋敷へ向うといった。

「重役に、ことの次第をお知らせしなければなりませんので……」

前後して御殿山のへりを下りて来ると滝川大蔵の隠居所の前を通ることになる。

駕籠が止っていた。その傍に香苗が立ってこっちをみている。

東吾は走って近づいた。

「くわしい事情を申し上げる暇はないのですが、手前はこれから麻太郎を探しに参ります。義姉上は麻生の小父上と共にお帰り下さい」

香苗が仁村大助をみた。

「そちらのお方は……」

「京極藩の方です」

うなずいて、東吾へいった。

「江戸は広うございます。探索がむつかしければ、一度、八丁堀へお戻りになり、兄上様のお力を借りられますように……」

「わかりました。ともかく、行きます」

会釈をして、東吾が走り出し、仁村大助が続いた。

この道は、海沿いの本街道と平行して新堀川へ出る。

おそらく、麻太郎はこの道を行ったであろうと思うものの、更に左へ小道をたどれば、一面の百姓地で大崎村へ出る。その他にも大名屋敷や寺院の間にいくつかの脇道があるので、迷い込んだら、どこへ行きつくことか。

道の左右に慌しく目をくばりながら、東吾は、ともすれば自分と肩を並べようとする仁村大助へ訊いた。

「琴江どのは、なんで江戸へ戻られることになったのですか」

「よくは知りませんが、若殿の奥方よりお暇をたまわったそうです。おそらく、病気がちだった故ではありませんか」

「それならば、何故、追手がかかったのです」

お暇を頂いて江戸へ帰る母子を、どうして、殺人者が追ったのか。

仁村大助は口ごもったが、東吾の鋭い視線にぶつかると困ったような返事をした。

「他言無用に願います。若殿房之助様の乳母どのが、琴江どのに密書をことづけたのです」

「密書ですと……」

「琴江どのは、それを、江戸の大殿にお届けする。手前は琴江どのを無事に江戸へ送り届ける役目を内々にて若殿より仰せつけられました」

「可笑《おか》しいではありませんか。それなら、貴公が密書を届ければよい。お暇を頂いた女に何故……」

「おそらく、敵の目をあざむくためではないかと思いますが……」

「密書とは、どのような……」

「それは申せません」

仁村大助の目の中に明らかな苛立ちがみえていたが、東吾は無視した。

「密書は、琴江どのが持っていたわけですな」

「左様……」

「貴公は、琴江どのの懐中を改められたのか」

「いや……」

「では、今も密書は琴江どのが所持して居られるのか」

相手がむっと押し黙るのをみて、東吾は続けた。

「琴江どのは瀕死の重傷を負うている。もし、わたしが貴公の立場なら、当然、琴江どのより、密書を受け取り、代って京極家へ届けると思うが……」

「いや、しかし……」

「それとも、貴公が麻太郎を追っているのは、密書を麻太郎が持っているという、確証でもあってのことか」

おかしいではないか、と、東吾は詰問するといった口調ではなく問い続けた。

「最前、貴公は、密書を持っているのは琴江どのだといわれた。その琴江どのが追手の凶刃に倒れた時、貴公は琴江どの母子を探していて、その場には居合せなかった。貴公が姿をみせたのは、我々が琴江どのを高源院へ運んでから後のことだ。従って、貴公は琴江どのから、密書は麻太郎が持って先へ行ったとは聞いていないはずだし、また、貴公は我々のみるところ、琴江どのの所持品を改めてもいない。そのくせ麻太郎が心配だといい、わたしについて来た」

今一つ、と、東吾は無言の相手に畳みかけた。

「まだわからぬことがある。わたしは琴江どのの危急の際にかけつけ、追手の三人を斬った。しかし、いずれも一太刀、命にかかわるような痛手は与えていない。然るに、琴江どのを麓まで運び、とってかえしてみると、三人はすべて、胸を一突きにされて息絶えていた。これは、いったい、何者の仕業なのか。考えるまでもない。三人に口を割られては困る奴のしたことだ」

道のむこうに新堀川に架る橋がみえていた。

そこを川沿いに上れば京極家の下屋敷であり、川を渡って古川町を抜け、善福寺の脇から六本木へ向えば、京極家の上屋敷に出る。

しかし、六歳の麻太郎に江戸の道がわかる筈もなく、京極家のありかさえ、おぼつかないに違いない。

「仁村どの」

足を止めて、東吾が呼んだとたん、仁村大助が抜き打ちに斬って出た。そう出ると予期していた東吾だったから、同時に抜き合せた。

練兵館の斎藤弥九郎が、

「東吾の得意業。あれを破るのは、わしでも厄介じゃ」

と激賞する技が出た。

仁村大助の刀は、東吾の刀にすくい上げられたように手を放れて、柳の根方へふっとんだ。

「おのれ」

蒼白になった仁村大助が矢庭に新堀川へ身を躍らせた。東吾が岸辺へかけ寄ってみると、かなりの流れに押されながら、下へ泳いで行く。

もはや、おおよそのことはわかったと思い、東吾は彼のことは放っておいて、まっしぐらに、飯倉の仙五郎の所へ行った。

麻太郎を探すには、自分一人では無理だと判断したからで、ざっと事情を話すと、仙五郎はすぐに下っ引を呼び集め、てきぱきと指図をした。六本木から御殿山へ向けてあらゆる道筋へ下っ引が散って行く。

東吾は畝源三郎へ手紙を書いて、仙五郎の若い者を八丁堀へ走らせた。

すでに日は暮れている。

闇の中で、一刻も早く麻太郎をみつけ出すためには、畝源三郎の応援も必要であった。

「俺は、一応、六本木の京極家の周囲を見廻っている」

仙五郎にいい残して、東吾は長坂をかけ下り、汐見坂を通り抜けた。

京極家上屋敷は鳥居坂を上り切ったところにある。

果して麻太郎がここへたどりつくか、不安は濃くなるばかりだったが、他にどうすることも出来ない。

居ても立ってもいられないという、激しい焦燥の中で、東吾は暗い町辻に目をこらし、人影をみると、無駄とは知りながら走り寄って確認した。

どれくらい、そうしていたことか。

ひんやりした夜気の中でも、全身汗まみれになっている東吾の前に、提灯が近づいた。

「東吾さん」

畝源三郎の声とわかって、東吾はほっとした。

「来てくれたのか、源さん」

「迎えに来たのですよ」

「なんだと……」

「麻太郎坊やは無事です」

「みつかったのか」

「仙五郎の所には、長助が挨拶に行っています。東吾さんは手前と一緒に八丁堀へお戻りになるよう、通之進どののお指図です」

馬の用意があると、源三郎がいった。

鳥居坂を下った所に、源三郎の若党が二頭の馬の手綱を曳いて立っている。

「源さん、麻太郎はどこでみつかったんだ」

馬の手綱を取りながら訊ねたのに、源三郎が、いい笑顔をみせた。

「それは、お屋敷へ戻られてのことにしましょう。馬上では舌を嚙みます」

ひらりと先に馬上の人となった。

「東吾さん、行きますよ」

新堀川沿いの道を二頭が前後して駈け抜けて行く。

東吾は全く気がついていなかったが、月が皓々と道筋を照らし、馬の脚は極めて軽かった。

三

八丁堀の神林家の前には、麻生宗太郎が立っていて、近づく馬を眺めていた。

「今、清水家へ行って話をして戻って来たところなのですよ」

馬を下りた東吾へいった。

「琴江どのは、歿《なくな》りました」

東吾が麻太郎を追って行って間もなく息をひき取ったという。

「滝川どのが通夜をひき受けてくれましたので、高源院に遺体をあずけ、手前が清水家へ行って話をして来ました」

清水家は、琴江の実家であった。

「清水家では、琴江さんの兄上がすぐ高源院へ向われました」

嫁ぎ先の大村家を、琴江は夫が歿った際、麻太郎を伴って出ている。

「大村家には先妻の産んだ嫡男がいて、すでに家督を継いでいます」

父親と琴江の再婚を決して喜ばなかった長男だというから、夫歿き後、琴江にしてみれば大村家の厄介にはなりたくなかったのだろうと宗太郎はいった。

「琴江さんの野辺送りは清水家のほうで行い、清水家の墓に入ることになりました」

「麻太郎は、母の死を知っているのか」

声が詰って、東吾は咳ばらいをした。

「清水家へ行く前に、ここへ寄って知らせました。義姉上より、麻太郎が母上の様子をしきりに気にしていると聞きまして、いつまでもかくしておけることでもないと思い……」

ふっと、宗太郎の声が涙に滲んだようになった。

「麻太郎は泣きませんでした。ただ、両手で自分の両膝を握りしめて……こんな時になんですが、わたしは誰かさんがそうやって涙をこらえているのをみたことがありましたから……なんというか……」

東吾は大地にすわり込みたくなった。もし、すわったら、彼も両手で両膝を握りしめていたに違いない。

そんな東吾の気持を察したように、源三郎がいった。

「東吾さんは、麻太郎坊やがどこで、誰にみつかったのかを気にしていますよ」

宗太郎が泣き笑いの表情になった。

「どこにいたと思いますか、東吾さん……」

「さて……」

「義姉上の駕籠の中にいたのです」

流石《さすが》に、東吾が絶句し、宗太郎がしみじみといった。

「まさに、縁の糸というものですね」

「いったい、いつ、義姉上の駕籠に……」

「おそらく、我々が滝川どのの屋敷を出て、御殿山へかけつけて行った後でしょう。あの時、駕籠かきの中間《ちゅうげん》も、われわれと一緒に御殿山の近くまで来て、それから、麻生の義父上が滝川家へ戻られる時について行った。つまり、義姉上の駕籠の周囲には誰もいなかったことになります」

これは、麻太郎のいったことだが、と前置きして、宗太郎は言葉を続けた。

「母上から密書を渡され、教えられた方角へ向った麻太郎は、前方に仁村大助をみたそうです。それで、彼から姿をくらますために、脇道へ逃げ込んだ。そこに、義姉上の駕籠があったというわけです」

「しかし……」

東吾は唾を呑み込んだ。

「義姉上は、麻太郎を御存じない筈だ」

「勿論、義姉上は麻太郎が清水琴江どのの悴とは知りません。ただ、義姉上は一足先に麻生の父上とお戻りになることになって、駕籠の戸を中間が開ける。中間のほうは外から開けているので、中の麻太郎には気づかなかったが、乗ろうとした義姉上にはすぐわかる。義姉上はさりげなく中間に用事をいいつけて、駕籠の傍を退《しりぞ》け、麻太郎にこうおっしゃったそうです。お助けします。私を信じて、申し上げる通りになさい、と」

追いつめられた仔犬のように、自分をみつめた麻太郎をみて、香苗はなにを感じたのだろうか、と東吾は不思議に思った。

「麻太郎は、義姉上の言葉を信じたのか」

身分のある奥方とはわかっただろうが、見も知らぬ他人である。少くとも、麻太郎にとって、香苗は初対面の女であった。

「麻太郎が、こういいましたよ。母上の声のように思えた、と……」

宗太郎がうつむき、東吾は唇を嚙みしめた。

涙はもう、こらえようもなく瞼の中に盛り上っている。

「待ってくれ。俺は麻太郎を探しに行く時、滝川どのの隠居所の前を通って、義姉上に挨拶をした。あの時、義姉上は駕籠の外に居られたが……」

麻太郎は駕籠の中にいたことになる。

「どうして、義姉上はそのことを……」

あの時、東吾は麻太郎を探しに行くといった。香苗は駕籠の中の子と麻太郎という言葉が結びつかなかったのか。

「義姉上は、それでおわかりになったそうですよ。御自分がかくまっている子供が、どういう子なのか」

宗太郎の言葉は思わせぶりだったが、東吾はそこに気が廻らなかった。

「では、何故、駕籠の中にいると……」

「東吾さんは仁村大助と一緒だったそうですね」

東吾はあっと思った。

「義姉上は、仁村大助に用心をなさったようですよ。それで、東吾さんに、なるべく早く八丁堀へ戻られるよう謎をおかけになったとか……」

「そうだ。たしかに、そうだった……」

あの折の香苗の言葉を思い返して、東吾は肩の力を抜いた。

「俺としたことが……まるで、気がつかなかった……」

神林家から用人が出て来た。

「殿様が、東吾様がお戻りになったのなら、すぐ、内へお入りなさるようにとのことでございます。皆々様も御一緒にどうぞ……」

源三郎がいった。

「手前は、神林様から申しつかったことがございますので、これにて失礼仕ります」

「すまなかった、源さん」

この友人は、東吾と麻太郎の関係を知らない筈であった。事情がわからぬままに、東吾から助けを求められて、六本木までやって来た。その時の東吾はそう考えて頭を下げたのだったが。

通之進は、居間の廊下に出て、東吾を待っていた。

「待ちかねたぞ」

ふっと微笑して、先に居間へ入る。

まず、宗太郎が清水家での話を報告し終ったところに、香苗が麻太郎を伴って入って来た。

「麻太郎」

思わず、東吾が呼び、その瞬間、麻太郎はまっしぐらに東吾の腕の中へとび込んで来た。

兄の前であることを、東吾は忘れた。

自分にしがみついた少年のひなたくさい髪の匂いが、昨年の夏の朝を思い出させた。

赤坂の溜池の近くで、蟬取りをしていた麻太郎と偶然、めぐり合って、その小さな体を抱いて蟬を採ったことが鮮やかに甦って来る。

あの時、東吾はその少年が麻太郎であることに気づかなかった。しかし、今は……。

香苗がこらえ切れなくなったようにすすり泣き、その声で東吾は我に返った。

通之進が、うろたえたような弟へ静かにいった。

「東吾は、生来、子供に好かれるようじゃな」

穏やかな目を麻太郎にむけた。

「麻太郎は、この小父様を知っておるのか」

麻太郎がはにかんで答えた。

「昨年、蟬を採って頂きました。まだ、多度津へ参る前です」

「そうであったか。それは奇縁。では、今夜は、当家で、この小父様と共にやすむがよい。それならば、よく眠れるであろう」

明らかに、ほっとしたような少年の髪をそっと撫でた。

「明日は、みなで御殿山へ参ろう。母上の野辺送りじゃ。よいな」

少年の目がふっとうるんだが、その返事はけなげなものであった。

「ありがとう存じます。何分、よろしゅうお願い申し上げます」

兄の目が濡れているのを東吾はみた。

「東吾、麻太郎を湯に入れてやるがよい。かわせみには、わしの用で、今夜はこちらへ泊ることになったと使をやって居る。それでよかろうな」

この兄は、どこまで自分と麻太郎のことを知っているのだろうかと思い、東吾は小さくなってお辞儀をした。

東吾が改めて兄の部屋へ呼ばれたのは、麻太郎がぐっすり眠り込んでからのことである。

夜は更けていたが、通之進は着替えもせず、机にむかってなにか書いていた。入って来た東吾をみると、机の脇においてあった一通の書状を手渡した。上に神林通之進様、裏には清水麻太郎母とある。

「麻太郎が所持して居ったのは、その文と、連判状であった」

連判状は、京極家の家督相続のことに関してで、

「そちらは、宗太郎より麻生の義父上へお届けしてもろうた」

大名家の相続争いに、町方はかかわりがない、と苦笑する。

「東吾には、あえて申さなんだが、実は昨年、琴江どのが多度津へ発たれる前に、宗太郎を介して、わしに会いたいと申されて参った。その折、琴江どのは其方に迷惑をかけたことを深く詫びられ、改めて、さきざき、麻太郎の力になってもらいたい旨、お頼みなされた。無論、わしは喜んで、その申し出を受けた」

今にして思えば、琴江はすでに自分の体の不調に気づいていたせいではなかったかと通之進はいった。

「今、申したことを承知の上で、その文を読むがよい」

東吾は書状を開いた。

優しい女文字で、無沙汰を詫び、自分の身勝手な願いをきき入れてくれたことに礼を

述べている。また、多度津へ来て、京極家の内情を知り、到底、このまま、姫君に仕え、麻太郎を京極家へ仕官させる道をえらぶのは、麻太郎のためにならないと判断した。病気を理由にお暇を頂き、母子で江戸へ帰る決心をしたが、最後の御奉公とて、お暇をたまわる代りに、大事な密書を江戸の大殿へ届ける役目を仰せつかり、止むなく承知したものの、道中の危険を思い、この文をしたためたと記してある。

「琴江どのは麻太郎に、万一、自分の身に異変があった場合、八丁堀の神林家を訪ねよと教えたそうじゃ、そして、その文にもある通り、如何なることがあろうとも、麻太郎を守ってやってくれと願われて居る」

京極家の内情については、琴江母子が多度津へ行った後に、ひそかに調べたと、通之進はいった。

「よくある話だが、奥方の産んだ総領、房之助どのは聡明だが、病弱の由。すると、国許の御側室の産んだ御次男正之助どのを御嫡にという動きが出て来る」

つまり、長男を廃嫡にして、次男に家督相続をさせるよう、江戸の主君へ働きかける者共が連判状を作った。

「京極家では、只今の御主君はやはり病弱なお方で、藩の実権は隠居されている大殿にある。それ故、房之助どのを守ろうとする一味は、敵の連判状を手に入れ、それを大殿にお届けすることで、藩の危機をお知らせしようとしたものであろう」

兄の言葉に、東吾は訊いた。

「仁村大助のことについて、麻太郎は何か申して居りませんでしたか」

「彼奴は、たしかに多度津からついて参ったようだが、琴江どのは麻太郎に、決して気を許すなと教えていたそうじゃ。ひょっとすると、道中、琴江どのをくどいて、はねつけられ、それを怨みに思って、反対派へ寝返るつもりだったのかも知れぬぞ」

御殿山で追手が琴江達に追いついて来た時、故意に自分だけ姿をかくし、あとから様子をみに来て、東吾から手傷を負わされていた三人を惨殺した。

「江戸の様子が、房之助どのに有利ならば、自分は琴江どのを守って三人の追手を斬ったというつもりであろうし、逆に正之助どのの方が主流となるようなら、三人の追手を斬ったのは神林東吾なる者、自分は逃げた麻太郎から連判状を取りかえしたと、どちらへ廻っても都合のいいように、事情を知る者は皆殺しにしておく必要があったのではないか」

兄の判断に、東吾もうなずいた。

「仁村大助は新堀川に落ちましたが、おそらく、生きて居りましょう」

しかし、連判状が麻生源右衛門の手から幕閣にさし出されては、もう、どうしようもない。

翌日、神林通之進夫婦と東吾は、麻太郎を伴って御殿山の高源院へ行き、清水家の人々と、琴江の野辺送りをいとなんだ。

人々の涙をさそったのは、麻太郎がすでにものいわぬ母の枕許にすわって、

「母上、お別れを申し上げます」

せい一杯、泣かぬ声でいい、頭を下げた時で、傍にいた東吾は思わず抱きしめてやりたいほどのいじらしさをおぼえた。

その夜から、麻太郎はいったん、清水家へ引き取られた。

それが筋道とわかっていて、東吾は、ふり返りふり返り去って行く麻太郎をみつめている中に、目の前がぼやけてしまった。

「かわせみ」へ帰ったものの、東吾は落ち着かなかった。

兄から、るいには何もいってはならぬ、いうべき時があれば、自分がいう、と厳命されていたし、実際、琴江が死んでしまった今となっては、麻太郎のまことの父親が東吾であるといってくれる人は誰もこの世にいない。

月の終りに、兄の屋敷から使があった。

行ってみると、居間には宗太郎がいる。

「京極家においては、御次男正之助どのを若隠居になされた」

通之進が弟へ告げた。

「大殿はあくまでも、御嫡は房之助どのとし、連判状に名を連ねた者にも、主家の前途をあやまってはならぬとおさとしになったそうな」

従って、おとがめを受けたのは、御側室の父親で国家老でもある大伴彦兵衛が隠居となり、その倅で今回の主謀者でもあった大伴小一郎が永のお暇になっただけでことをおさめた。

また、非業に死んだ琴江に対しては、大殿より清水家へ対し、詫びの言葉と共に、香華料が届けられたという。

「ところで、仁村大助だが、奴は上屋敷へ顔も出さず、どうやら江戸を逐電したらしい。とはいえ、国許にも戻れず、この先、どうなることか」

それも身から出た錆であれば致し方がない。

「ところで、東吾、今日、呼んだのは他でもない。この際、麻太郎を神林家の跡継ぎとして当家へ迎えたいと思うが、其方は同意してくれるか」

突然だったので、東吾は返答が出来ず、兄の顔を眺めた。

「よいか、早とちりをするでないぞ。わしは麻太郎をあくまでも大村麻太郎として養子に迎える。幼くして両親を失った麻太郎には、今のところ、継ぐべき家はない。彼が香苗の駕籠へ救いを求めたのも神仏のお導きと思う。生前の琴江どのとの約束に応えるためにも、それが一番の道と考えた」

無論、当人の意向も聞かねばならないし、清水家との談合も必要だが、

「神林家は、わしと東吾と二人だけの兄弟である。東吾の同意なくば、この話は成り立たぬのだ」

どうじゃ、承知してくれるか、と重ねて通之進がいい、東吾は畳に手を突いて、深く頭を下げた。

「なにも申し上げることはございません。ただ、兄上の御配慮、義姉上のお情、ありがたく……この通りにございます」

傍から、宗太郎が例のとぼけた声でいった。

「東吾さん、気をつけないといけませんよ。東吾さんは麻太郎坊やの叔父上になるわけです。いくら、子供を手なずけるのが上手だといっても、親父顔をしてはいけません。なにしろ、我が家も畝源三郎どのの所も、子供はみんな東吾さんになついてしまって、かねがね、当惑しているのですから……」

通之進がさわやかな笑い声を立てた。

「では、今から清水家へ参って、麻太郎を頂戴致したいと申し入れて参る。たのしみに待っているがよい」

庭のつくばいの鹿《しし》おどしがことんと音を立てた。

日頃、聞き馴れているその音が、東吾の心の深いところまでしみ渡った時、通之進が立ち上った。

神林家の庭には、秋の陽が満ちあふれている。

金《きん》波《ぱ》楼《ろう》の姉妹《しまい》

一

雨の多かった初秋が終ると、江戸は朝夕の気温がぐんと下った。

そのせいで、神社仏閣の境内では銀杏が黄葉して、木によっては小さな実を鈴なりにつけたし、楓は葉の先端から赤く染まり出した。

大川端の小さな宿屋「かわせみ」でも、たいして広くもない庭に一本ある柿の木が今年は三、四十個の実をつけて、それをねらって飛んで来る烏《からす》を、女中頭のお吉が物干竿をふり廻して追い払う年中行事が始まった。

そんな時、「かわせみ」に珍しい客があった。

るいの幼友達で五井和世、今は出家して日暮里の普門寺にある西行庵で、近所の娘達に琴の稽古などをして暮している和光尼である。

「まあ、千春さま、随分と大きく、おかわいらしくなられましたこと。この前、お目にかかったのは春でしたものねえ」

るいに抱かれている千春を暫くあやしてから、

「お小さい方がいらっしゃるので、お出かけは御無理かも知れませんが、私、勧められまして、お琴の会を致しますの」

教えている弟子達の親がいい出して、門弟の温習会のようなものを、今戸の金波楼で催すことになったのだと、嬉しそうに告げた。

「私自身も二、三曲、弾きますので、畝様の奥方様とお揃いでお出かけ頂けたらと思いまして……」

遠慮がちにいわれて、るいは考えた。

千春は生後十カ月、無論、まだ、母乳だが、なにかにつけて育児の指導をしてくれる麻生宗太郎から、

「おるいさん、母乳は赤ん坊にとって最高の食事ですが、いつまでもそれでは母体がたまりません。少しずつ、乳離れをさせるのが良策というものですよ」

といわれて、一日に少量ながら蜜柑をしぼった汁とか、薄い重湯などを与えてみると、千春は腹もこわさず、むしろ喜んでよく飲む。

それに乳を飲む間隔もずっと広がっていて、満腹すればよく眠るし、目ざめても枕許においてある人形を眺めて、おお、とか、ああとか機嫌のよい声を上げて遊んでいる。

お吉はすっかり千春の世話に馴れているし、嘉助も、るいが客の相手をしている時なぞ、そっと千春の傍へ来て、見守っていてくれるといったふうなので、仮に自分が小半日、今戸まで遠出をしても大丈夫ではないかという気もしないではない。

「千春の様子にもよりますけれど、出来れば、ほんの少しでも和世様のお琴を聞きにうかがいたいと思います」

あまり、あてにしないで、と答えたるいに和光尼は充分、満足して、やがて帰った。

で、和光尼と入れ違いのように帰宅した東吾に、その話をすると、

「千春のことなら大丈夫だ。その日は軍艦操練所のほうが午までで終るから、大急ぎで帰って来て、俺もお守りをしてやるよ。和世さんだって喜ぶだろう」

といってくれた。

お吉のほうは、

「お腹がおすきになっても、いつものように蜜柑のお汁と重湯をさし上げれば、御機嫌がよくおなりですから、決して御心配には及びません。お留守の間は、命にかけてもお守り申します」

といささか大袈裟なせりふで請けあった。

畝家のほうも、源太郎はもう手がかからないし、お千代にはしっかりした乳母がついていることでもあり、

「おるい様がいらっしゃるなら、私も今戸まで参ります」

と、こちらもすぐその気になった。

それというのも、今戸の金波楼というのはこの節、江戸で少々、評判になっている料理屋で、長年、上方で修業して来た板前が、それを江戸の人の口にも合うように加減したという料理が旨い。しかも、昼ならちょっとした催しの際、芝居茶屋で出す幕の内弁当に似た簡略な膳を出すのだが、値段の割に豪華で味がよく、大層な人気になっているらしい。

実家が蔵前の札差であるお千絵はそれをよく知っていて、

「まあ、嬉しい」

と喜んでいる。

「我が家の女房の食いしんぼうにもあきれましたが、長助の奴まで金波楼の評判を知っていましてね。是非、お供をして琴を聞きに行くと申すのですから、和世さんも花より団子の客ばかりで当惑するのではありませんか」

町廻りの帰りに寄った畝源三郎がそんな憎まれ口を叩いたが、

「よろしいじゃございませんか。御新造様だって、たまには気晴しにお出かけなさいませんことには……。なにせ、旦那と来たら、年に一度もお揃いでお出かけなさるわけじゃございませんのですから……」

嘉助までが女達の味方をする。

無論、源三郎とて女房の外出を不快に思っているわけはなく、日頃、苦労をかけている長助ともども、秋の好日を過させてやりたいというのが本音であった。

当日は気持のいいほどの秋晴れであった。

「あとのことは心配しないで、早めに出かけろよ」

と、朝、東吾にいわれていたので、るいは千春に充分、乳を飲ませ、迎えに来たお千絵と共に豊海橋の袂から、長助の舟に乗った。

朝の中こそ肌寒かったが、この時刻になると日ざしが温かく、屋根舟の中は用意してあった炬燵に膝を入れるどころか、障子を開けて、

「おるい様、あちらの紅葉がまっ赤……」

「まあ、もう、山茶花《さざんか》が咲いていますよ」

娘に戻って、はしゃいでいる。

船頭の脇で、のんびり煙草をふかしている長助にも、

「お団子を一つ、召し上れ」

「お茶が入りましたよ」

と声がかかって、畝の旦那が背中にひびを切らして今日も町廻りをなさっているのに、あっし一人が、こんないい思いをさせてもらって、勿体ねえ、と、口には出せないものの、ひたすら恐縮して団子を食べ、茶を飲んでいる中に、舟は山谷堀を横目にみて、今戸の舟着場へ漕ぎ寄せた。

そこから金波楼はすぐで、流石《さすが》に今戸らしく、ゆったりした門から玄関までの道には

狸の置き物が鎮座し、籬《まがき》の菊の風情も堅苦しくはない。

和光尼の琴の催しはもう始まっていて、女中が広間に案内し、適当に空けておいたらしい場所に座布団をおき、

「会主様より承って居りますので……」

丁重な扱いであった。

広間はおそらく、和光尼の門弟の親達だろう、ぎっしりと人がつまっていて、みな神妙に我が娘の演奏を聞いている。

やがて、和光尼が舞台に出て、名曲「嵯峨野の秋」を弾いて、一座の人々を堪能させた。

その後に、客は別室に各々案内されて、おめあての膳が出た。

「本当に和世様のお琴は御見事で、お歌のお声も節廻しもよくて、思わず聞き惚れてしまいました。私も娘の頃、もう少し、気を入れてお稽古をすればよかったと思っても、今更、どうしようもありませんことね」

お千絵がいった時、二人の若い娘が徳利や土瓶などを持って部屋へ入って来た。

どちらも同じような年頃だが、一人が愛想よく客の一人一人に挨拶し、酒を注いだり、茶を勧めたりしているのに対して、もう一人はひどく内気らしく、うつむいたまま、酌をして廻っている。

そこへ、まだ五十にはなっていないだろう、みるからに陽気で明るい感じの女が、

「今日《こんち》は、ようこそお運び下さいました」

と挨拶し、気さくに客の相手をしながら、椀物や飯のお代りなど、さりげない気配りをして行く。

その女が、金波楼の女主人のおせんで、先の二人は、おしなにおさちという娘達だと、これは周囲の客の話ですぐにわかった。

どうやら、金波楼をこれほど有名な料理屋にしたのは、お内儀《かみ》の腕のようである。

半刻ばかりで午餉が終ると、客は再び広間へ戻って琴の演奏が再開された。

五、六曲ばかり、小さいお弟子の演奏があって、今度は和光尼が十人ほどの門弟に囲まれて六段の曲を合奏した。

番組はまだ続くらしいが、それが終ったのをしおに、るいとお千絵は広間を抜け、世話役に祝儀をことづけて帰ることにした。

和光尼は琴の調絃と弟子の世話で、てんてこまいをしているらしい。

「お帰りでございますか。会主様より、これをお土産にと申しつかって居ります」

折詰らしい包を、長助までが頂いて、お内儀に見送られて外へ出た。

流石《さすが》に、るいは乳が張って来ていて、もしや今頃、千春が重湯を嫌って泣いているのではないかと、急に帰心矢の如くになる。

が、往きと違って大川は流れに乗るので、豊海橋の袂までは、あっという間に漕ぎ下った。

舟から下りた所には、東吾が千春を抱き、お吉と共に迎えに出ていた。

「もう、お帰りだろうと思いましてね」

今、出て来たばかりだと、お吉は自分の勘が当ったのを自慢し、長助はお千絵を送って八丁堀へ向った。

「旦那様のおかげで、いい思いをさせて頂きました。和世さんのお琴も、金波楼のお膳もけっこうでしたし……」

居間へ落ちついて、早速、千春に乳をふくませながらるいが礼をいい、東吾は土産の折詰を開いて、

「こいつは旨そうだな」

お吉も食え、嘉助にも少し持って行ってやろうと、その日の「かわせみ」はまことに天下泰平であった。

だが、その翌日の午後、和光尼の五井和世が「かわせみ」へ礼に来て、ちょうど講武所から帰って来た東吾に、ためらいながら、

「このようなこと、神林様に御相談申すのは筋違いと思いますけれど……」

金波楼の主人から、意外なことを訊かれたのだといった。

「金波楼の御主人は庄右衛門さんとおっしゃいまして、まだ還暦には余程、間があるお年なのですけれど、お体が御丈夫でないとやらで、普門寺の近くに隠居所をお建てになり、そちらでお暮しになっているのです」

最初の女房は十年ほど前に病死し、今、金波楼の切り盛りをしているおせんは後妻で、二人の娘の中、おさちは先妻の子、おしなはおせんの連れ子だと和光尼は説明した。

「これは、私、お琴の稽古に来ている娘さんの親御さん達から聞いたことなのですけれど、金波楼は、おせんさんがお内儀さんになってから、またたく間に人気が出て繁昌するようになったとか。ですから、御主人の庄右衛門さんは御商売をお内儀さんにまかせて、のんびり、お好きな俳諧などに親しんでいらっしゃると思っていたのですけれど……」

「そうではなかったのか」

東吾が訊き、和光尼が眉をひそめた。

「庄右衛門さんが私におっしゃるのは、おせんに店を乗っ取られた。今のままだと、自分もおさちさんも金波楼から放り出される。そうならない中に、なんとか手を打ちたいが、おせんさんは口がうまく、周囲の人を上手に丸め込んでいるので、誰も自分のいうことを信じてくれない。まさか、お上に訴えるわけにも行かないし、どうしたものかと……」

途方に暮れたような和光尼に、東吾が笑って答えた。

「そんなことなら源さんに相談して、内々に金波楼を調べてみよう。俗界をはなれた和世さんが心配することはない。餅は餅屋だ。まあ、まかせておきなさい」

秋の日は暮れるのが早い。和光尼は肩の荷を下したように、ほっとした表情で慌しく暇《いとま》を告げた。

「るいは金波楼でおせんという内儀さんと二人の娘をみているのだろう。どんな感じだった」

二人きりになった居間で東吾が訊き、るいは考えながら答えた。

「外からみた感じでは、お内儀さんは商売熱心な、しっかりした人のようでした。娘さんも、連れ子のおしなさんは愛敬者で、もう一人のおさちさんも器量よしでしたけれど、内気らしくて……さきゆき、料理屋のお内儀さんにどちらがむいているかといえば、間違いなくおしなさんのほうだろうと思いました」

もしかするとそういった点が、父親の庄右衛門には気がかりなのかも知れないとるいはいう。

「庄右衛門という奴も情ないな。女房に店を乗っ取られるのが心配なら、さっさと離縁したらどうなんだ」

東吾は苦笑したが、他ならぬ和光尼の頼みではあり、早速、八丁堀まで出かけて畝源三郎にその話をした。

「わかりました。長助に調べさせましょう。明日は無理でしょうが、明後日、講武所の帰りに長寿庵へ寄って下さい。多分、一通りの報告は出来ると思いますよ」

定廻りの旦那はもの分りが早く、東吾は安心して大川端へひき返した。

二

二日後、今にも降り出しそうな空模様を気にしながら、東吾が深川佐賀町の長寿庵へ行ってみると、出迎えた長助の女房が、

「若先生、畝の旦那がお二階に……」

客の手前、小さくささやいて二階へ上る階段へ案内した。

「勝手に上るから、気を使わないでくれ」

声をかけて上って行くと、その声を聞きつけたように長助が階段の上に顔を出した。

「早かったですね」

火鉢に手をかざして、畝源三郎が迎えた。

「今日は川むこうから本所へ出て一廻りしたのですが、川風が冷たくて、今年の冬は例年より寒さがきびしいかも知れませんよ」

おそらく東吾の到着を待っていたのだろう、下から熱燗の徳利と鉄火味噌を長助の倅が運んで来た。

「金波楼の一件は、どんなものだ」

茶碗酒を一杯、続いてあられ蕎麦をすすりながら東吾が訊き、長助が膝を進めた。

「そいつが……思った以上にお内儀さんの評判がいいんで、面くらいました」

庄右衛門の後妻のおせんのことで、

「もともと、おせんてえ女は浅草の梅川という料理屋の女中をしていまして、そこの板前と主人の許しをもらって夫婦になり、おしなという子まで生まれたんですが、亭主のほうは酒好きが禍いしたのか、板場で倒れて医者が来た時にはもう息がなかったてえことで、おせんは三十そこそこで後家になりました。その後も梅川で働いて女中頭にまでなったんですが、今から七年ほど前に、梅川の主人が米相場に手を出して大しくじりをやらかし、店を閉める段になって、世話をする者があって金波楼の女中になりました」

その頃の金波楼は庄右衛門の女房が死んで、店のほうもなにがなしに不景気だったのだが、おせんが来てから少しずつ店の勢いが出て来て、足が途絶えがちだった贔屓《ひいき》客が戻って来た。

そんなおせんに、庄右衛門が惚れて、連れ子でかまわないからと、やがて世間にも夫婦の披露をし、晴れて金波楼のお内儀に直した。

「お内儀さんは商売上手だし、連れ子のおしなさんは愛敬者、上方から呼んだ板前の料理が評判になって、金波楼は千客万来、もともと料理屋の亭主に向いていなかった庄右衛門さんは隠居所で好きな俳諧仲間とすっかり宗匠気どり、それもこれもおせんのおかげってわけですから、苦情のいえた義理じゃあるまいと、近所の者も、親類筋も口を揃えて申しますんで……」

長助が聞いて廻った限りでは、おせんのことを悪くいうものは一人もいなかったと、この人のいい、しかし老練の岡っ引はちょいとぼんのくぼに手をやった。

「金波楼の銭箱は、おせんが押えているのだろうな」

畝源三郎が口をはさんだ。

「へえ。ですが、旦那の住いへの仕送りは充分すぎるほどだし、その他にも旦那からいってくれれば、都合の出来る限りの金を届けていると、こいつは金波楼の番頭が申して居りました」

「娘についてはどうなのだ、我が子のおしなを可愛がって、生さ《な》ぬ仲のおさちに冷たいというようなことは……」

「よくある話だと思って、そこんところは、念を入れて、あっちこっち訊いてみましたが、どうも、格別、継子いじめをする様子もねえようで、二人の娘に着るものから、髪の飾りまで、差のねえように心がけていると、出入りの呉服屋や小間物屋もいっていました」

「二人の娘は、どちらも金波楼で働いているのか」

「そのようで……ただ、店の者のいいますには、おさちさんは十日の中、五日は父親の住居のほうへ行っているとか。まあ、当人は客商売が根っから好きではないそうで、客の座敷へ出るとえらくくたびれちまうとこぼしているようです」

源三郎が東吾をみ、蕎麦湯を飲んでいた東吾が一つだけ訊いた。

「二人の娘に、縁談は……」

「年頃ですから、ないこともないようで……決ったってえ話は耳に致しませんでした」

長助をねぎらって、東吾と源三郎は長寿庵を出た。

風はやんで、その代り、大気がしめっぽくなっている。

「おせんって女が、よくよく芝居巧者だと、滅多なことで尻尾は出すまいな」

「世間は、いい女のいうことなら、ほいほいと信じるものですからね」

「金波楼へ飯でも食いに行ってみるか」

「手前は、今の所、無理ですね」

「宗太郎に声をかけてみるか」

空が遂に泣き出した。

豊海橋の袂で東吾は源三郎と別れ、走って「かわせみ」へたどりついた。

長助が泡をくって「かわせみ」へ御注進に来たのは、それから三日目の夕方で、

「えれえことで……庄右衛門さんとおさちさんが毒を盛られそこなったんです」

昨日、おさちが日暮里の隠居所へやって来て、金波楼から持って来た重箱を開いて父親の庄右衛門と食べたところ、俄かに苦しみ出して、さんざん吐いたり下したりしたものの、かけつけた医者の手当で大事にはいたらなかったという。

重箱の中身はすっかり食べてしまって何も残っていないが、金波楼の台所で板前が作った料理であった。

「おさちさんが、たまには日暮里へ行って、お父つぁんと晩餉を食べたいというんで、旦那の好物をあれこれと詰めたんで、別に当るようなものは何一つ入っていなかったと

板前は青くなっていますが、医者はひょっとすると石見銀山ねずみとりが入っていたかも知れないといったそうです」

もっとも、取調べに当った定廻りの赤井協之助に対しては、煮つけの中のきのこに毒のあるものがまじっていたのではないかと申し立てたと長助は顔をしかめた。

「金波楼のほうから医者に口止め料が出たんじゃねえかと思います」

料理屋が、いくら客に出すものではなかったにせよ、自分の所で作ったお菜で病人を出しては、商売にさしつかえる。

「庄右衛門とおさちの容態はどうなんだ」

「今しがた行って聞いた所では、おさちさんは疲れると食欲がなくなる性質《たち》でして、あまり重箱の中のものを食べていなかったとかで、もう、すっかり元気になっているようです。庄右衛門旦那のほうは、だいぶ苦しい苦しいところげ廻って医者を心配させたといいますが、今のところ、命に別状はないとのことで……」

その庄右衛門もおさちも、毒とはいわず、食べ合せが悪かったのではないかと見舞客にいっている。

「やっぱり、店をかばっているのでございましょう」

長助が出入りの岡っ引から聞き出した所によると、重箱は料理を詰めてから、おせんの居間にかなり長い間おいてあったというので、もしも、誰かが石見銀山ねずみとりを入れようと思えば、決して難しくはなかろうとのことであった。

「赤井協之助はなんといっているのだ」

東吾に訊かれて、長助がうつむいた。

「きのこに当ったんじゃ仕様がねえ。あんまりお上に御厄介をかけるなと……」

つまり、毒きのこをあやまって食べたということで、一件落着にした。

「となると、源さんが蒸し返すわけにも行かないな」

同じ定廻り同心として、仲間が埒をあけた事件を再調査するというのでは、かどが立つ。

「宗太郎を誘って、飯を食いに行くか」

もともと、そのつもりであった。

翌日、東吾は軍艦操練所の帰りに本所の麻生家へ寄った。

花世は母親と知人の屋敷へ招かれて出かけて居り、宗太郎は居間で西洋のものらしい医学書を読んでいた。

東吾が、ざっと用件を話すと、

「そういうことなら、今夕、出かけませんか。もし、それが誰かの企みによるものなら、一度、しくじった下手人が焦って、もう一度、仕掛ける可能性もあるでしょう。早いに越したことはありません」

という。

暮六ツに、柳橋の船宿で落ち合う約束をして、東吾はいったん、「かわせみ」へ戻った。

少しばかり千春の相手をしてやってから着替えをし、時刻をみはからって豊海橋の袂から屋根舟を出させ、柳橋で待っていた宗太郎を拾って今戸へ向う。

「あれから、いろいろと考えてみたのですがね」

舟の中で早速、宗太郎がいった。

「庄右衛門とおさちが死んで得をする者といえば、女房のおせんと連れ子のおしなという図式になりますが、金波楼から持って行った重箱の中身で死んだとなると当然、おせん母子に疑いがかかるでしょう」

「そうとは限らない。げんに、町方は毒きのこで片付けているんだ」

「それは、命に別状がなかったからで、二人共、死んだとなると、仮に毒きのこが原因だったとしても、金波楼は取調べを受け、おせん母子の立場は悪くなりますよ」

「みすみす、自分が疑われるようなことをおせんがするかといいたいのだろう」

「おせんというのは、なかなかの利口者だそうじゃないですか」

「しかし、女だからな」

「女でも分別のある者はありますよ。例えば、庄右衛門と大喧嘩でもして、かっとなって毒を放り込んだというのなら、わからなくもありませんが……」

さし当って、おせん母子は金波楼を追い出されそうになっているのでもあるまい、と宗太郎がいい、東吾は腕を組んだ。

「そいつはどうかな。和光尼の和世さんの話だと、庄右衛門は金波楼をおせんに乗っ取られたといい、そうさせないために然るべき手を打とうとしている。つまりは、おせんを離別する考えもあるわけだ。それを、おせんが知ったとなると……」

「お払い箱にされる前にひと思いにというのですか」

「あんまり、利口なやり方じゃないがね」

そのあたりは、東吾も宗太郎と同じ疑問を持ってはいた。

とはいえ、人の心は理屈通りには行かないのも、この世の常である。

今戸の舟着場で下りて、顔見知りの船宿のお内儀に、今から金波楼へ行くのだというと、

「あそこはけっこう混んで居ります。粗相があるといけませんから、只今、うちの者に声をかけさせましょう」

といってくれた。

で、待つほどもなく使が戻って来て、

「お部屋の用意をしてお待ちして居りますとのことで……」

どうかお出かけ下さいと案内旁《かたがた》、先に立つ。

繁昌していると船宿のお内儀もいっていたのに、東吾達が店へ入った感じでは、どこかひっそりして活気がなかった。

玄関にはお内儀のおせん自らが出迎えていて、すぐに奥まった座敷へ通された。

「ようこそお出かけ下さいました。行き届きませんが、どうぞ、なんなりとお申しつけ下さいますように……」

茶が運ばれ、おおよその好みを聞いてから、すぐに酒肴が出た。

酒も吟味してあるし、肴も悪くない。

それにしても、店の中が静かであった。

若い女が新しい徳利と椀物を持って入って来た。

「如何でございましょう。お口に合いますかどうか、母が心配して居ります」

と挨拶したところをみると、これが連れ子のおしなという娘だと東吾達は見当をつけた。

器量も悪くないし、明るく陽気な感じのするものの、どこか屈託したふうにみえる。

「評判通りのいい店だと話していたところだ。船宿のお内儀が、不意に行っては空いた座敷がないのではないかと心配していたが、これでは、客が押しかけるな」

おしなが酌をしながら、口惜しそうにいった。

「おっしゃって下さる通りだったのですけれど、ここ二、三日、駄目なんです」

「客が来ないのか」

「ええ」

「何故だ」

「悪い評判が立ったからです」

「ほう」

「あんまりだと思います。料理屋の板前が毒きのこを間違えるわけがないんです。第一、うちで扱うものは、みんな、ちゃんとした店から仕入れていて、棒手振《ぼてふり》のかついで来たものなんぞ買ったことがありません。材料は吟味の上にも吟味していると板前さんも自信を持っているんです。それを……」

「毒きのこに当った奴がいるのか」

「絶対に、毒きのこじゃありません。あれは……いやがらせです」

おしながまっ赤な顔をしていい放った時、おせんが焼物の皿を運んで来た。

「今、この人に聞いたのだが、いやがらせで客が来なくなったそうじゃないか」

すかさず、東吾がいい、おせんは娘をたしなめるように眺めた。

「いけませんよ。はじめてのお客様にそんなことを申し上げては……」

東吾が盃を出していった。

「そんな心配はいらない。俺達は、この前、ここで琴の会をした和光尼の知り合いなんだ。旨くて評判の店だから是非、行ってみろと勧められてね」

「和光尼さまのお知り合いでしたか」

おせんが小さな吐息を洩らした。

「あちら様は、お住いがうちの人の隠居所のお近くで……きっと、いろいろとお耳に入っていることでございましょう」

「ここの主人は俳諧に凝っていて、店はお内儀さんまかせだというようなことはいっていたが……」

「おっしゃる通りでございます。私としては主人に喜んでもらいたいと、一生懸命やって来たつもりでございましたが……」

「おっ母さんは馬鹿よ。あの人にいいようにこき使われて、店がよくなったら、お払い箱にされるのに……」

おしなが情なさそうに呟いた。

「それは穏やかじゃないな。そんな話があるのか」

「うちから持って帰った重箱の料理に毒きのこが入っていたなんていやがらせがなによりの証拠です。おっ母さんがいたたまれなくなって出て行くのを、あの人達は待っているんです」

押えても押え切れないように、娘の声は高くなった。

「あたしは、おっ母さんがやっと幸せになれたと喜んでいたのに……」

「おしな、お前はむこうへお行き……」

「まあ、待て……」

東吾が手を上げた。

「どうも、よくわからないが、ここの主人は何か、あんた達のやることで気に入らないものがあるのじゃないか。心当りはないのか」

母親より先に、娘がいい放った。

「あるとすれば、おさちさんのことです」

堪忍袋の緒が切れたという形相で、おしなはまくし立てた。

「あの人は、あたしを憎んでいます。自分が愚図で気のきかないのを棚に上げて、あたしがてきぱき働いてるのが気に入らない。あたしはおっ母さんを助けて、この店へ来て下さるお客様に満足してもらいたい一心で、頭も使うし、体もこまめに動かしています。あの人は、ただ、ぼんやりして、少しでも楽がしたい。そんなだから奉公人にも馬鹿にされるし、お客様だって、ありゃあなんだ、とおっしゃいます。みんな自分が悪いんです。それを、逆怨みして……」

「おしな、もう、おやめ」

おせんが制止した。だが、その声は弱かった。娘のほうはやめなかった。

「和光尼さまを御存じのお客様だから、あえて申しますけれど、あたしはむこうがその気でいるなら、こっちも腹を決めて、この店を出たほうがいいと思っています」

「金波楼を出るのか」

「おっ母さんは、自分がここまでにした金波楼に未練があるみたいだけど、うっかりしたら、人殺しにされかねない。それより、母子二人、どこへ行っても働いて食べて行けるんです。体が丈夫で働き者なら、おてんと様はお見捨てにならない。ですから……」

それまで黙々と酒を飲み、膳の上のものを片はしから平げていた宗太郎が訊いた。

「この家に石見銀山ねずみとりはあるのか」

おしなが宗太郎を睨みつけた。

「そりゃありますよ。でも、そんなものを重箱の料理に突っ込めば、まず、おっ母さんとあたしが疑われる。人を殺せば自分も縛り首になるんです。そんな怖いことをしてまで金波楼に居すわる気持はありません。第一、縛り首になって、どうやって居すわるんですか」

宗太郎が笑い出した。

「まあ、そうなりゃあ、さしずめ、金波楼は幽霊楼と改名しなけりゃなるまいな」

「馬鹿にしないで下さい」

おしながつんとして立って行き、おせんがあやまった。

「申しわけございません。あの子、すっかり気が立っちまって……なにしろ、板前が申しわけないから暇を取るなんていい出しまして……」

毒きのこなんぞが入ったわけはないが、自分の作ったもので、主人とその娘が食べ当りだなんぞといわれては、板前として腹も立つだろうし、下手をするとさきゆき、やって行けなくなる。

「今日の料理をみても、なかなか腕のいい板前らしいな。年はいくつだ」

と東吾。

「三十ちょうどなんです。あたしの前の亭主、おしなの父親の遠縁で、庖丁の手ほどきもうちの人がしたんです。それで上方へ修業に行きまして……」

「それじゃ、おしなとは幼なじみか」

「ええ。子供の頃からよく一緒に遊んでもらったりしてました」

そのおしなが女中と一緒に新しい料理と酒を運んで来て、男二人はやがて満腹した。

勘定を払う際に、東吾は板前の腕を賞めて祝儀をことづけると、その板前が挨拶に来た。

苦み走った男前で、腰が低く、愛敬がいい。

外へ出ると宗太郎が早速いった。

「原因は、女同士の鞘当てですかね」

「俺も、そんな気がしたよ」

男前で腕のいい板前をめぐって、おしなとおさちの間に火花が散った。

「こうなると、おさちって娘をみてみたいですね」

東吾が苦笑した。

「八丁堀の旦那じゃあるまいし、調べがあって来たともいえないだろう」

「いい手がありますよ」

今日はもう遅いから明日、出直しましょうと宗太郎にいわれ、東吾はやれやれと思いながら承知した。

三

翌日、今度はお茶の水の近くで待ち合せて白山通りから日暮里へ向った。

東吾は講武所の帰り、宗太郎のほうは、

「ちょっと、天野の屋敷へ寄って来ました」

といった。

武家屋敷の続く道が、やがて四軒寺町を越え、団子坂を下って小川を渡ると、まわり中、寺だらけになる。

天王寺の塔のみえる所で訊いてみると、金波楼の隠居所はすぐわかった。

今、二人が渡って来た小川が枝分れをしている先の岸辺の、なかなか風雅な家である。

玄関で訪《おとな》うと、女中が出て来た。

「手前は、将軍家御典医、天野宗伯先生の門弟で麻生宗太郎と申す者。こちらの主人のかかりつけである榎本正庵とは同門、先頃、榎本がこちらの主人の病気の手当を致し、どうも腑に落ちぬことがあると先生に申し上げた由、先生より手前にこちらの容態をみて参るよう仰せつかった。卒爾ながらお脈を拝見致したい」

もったいぶった宗太郎の言葉に女中がひっ込み、暫くして再び、出て来た。

「旦那はもう元気になりましたが、有難い仰せなので、お目にかからせて頂くと申して居ります」

奥へ案内された。

「要するに、俺は宗太郎のお供だな」

低声《こごえ》でささやいて、東吾は神妙に宗太郎の後に下って、座敷へすわった。
・調度にも金をかけているし、けっこう贅沢な暮し向きのようにみえる。
すぐに主人の庄右衛門が出て来て挨拶をした。血色もよく、病人らしくない。そのあとから茶を持って来た娘は、成程、器量はずば抜けてよかった。憂い顔で、どこか寂しげにみえるのも、男心を惹かなくもない。

但し、挨拶は口の中で、うつむいてすわっている様子は人形のようでもある。

「拝見する限り、御回復のようですな」

宗太郎が早速、庄右衛門の脈をみ、口を開けさせたりしている。本職の医者だから質問も堂に入っている。

食べたものはどのようなもので、どのくらいの量だったか、味はどうだったか、腹の痛み具合、吐き気、目まいの程度、熱の有無など、要領よく訊いたあげく、今度は娘の脈をゆっくり取って、また、同じようなことを訊ねる。やがて、

「よくわかりました。もはや、御心配になることは何事もない。但し、念のため、腹中のものを全部、出しておいたほうがよろしかろう。これをお飲みになって下さい」

用意して来た薬包を出し、父と娘にその場で飲ませた。

「先生、いったい、なんの毒だったのでございましょう」

帰りがけに玄関まで送って来て庄右衛門が訊き、宗太郎がおっとりと答えた。

「毒ではござらぬ」

御主人は日頃、まめに体を動かすほうかと、訊いた。

「俳諧をたしなまれる由、あちこち散策になどお出かけか」

たまには出かけるが、大方は家で机に向って苦吟していると庄右衛門は答えた。

「手前は体が弱く、あまり出歩くことは得手ではございません」

「先だっての病いはそのせいでござる」

人はあまり動かないでいると、胃の腑も動かないと宗太郎はいった。

「御主人は日頃、あまり食欲のあるほうではござるまい。そこへ、たまたま、常よりも多くのものを食べ、酒を飲んだ。胃の腑が驚いて七転八倒する。その故でござった」

不満そうな主人の表情を無視して、とっとと表へ出る。

帰り道に千駄木の医者の家へ寄った。

庄右衛門がかかりつけという榎本正庵の所だったが、出て来た正庵は宗太郎の顔をみると仰天して両手を突いた。

「これは……宗太郎先生……」

宗太郎が、からっとした声でいった。

「庄右衛門に会って来たよ。こないだの一件、あんたの診立てはなんだったのだ」

みるみる、正庵の顔から汗が吹き出した。

した。

「いや、あれは……庄右衛門どのが……」

「庄右衛門は何かの毒にしたかったのだろう」

熱は出たのか、吐いたものは診たのか、とたたみかけられて、正庵はがたがた慄《ふる》え出した。

「あれは、仮病だよ」

宗太郎がずばりといい、正庵が頭を下げた。

「やはり、左様で……」

「当人のいう痛んだところが滅茶苦茶だ。素人はすぐぼろが出る。咽喉をかきむしって苦しみ、のたうち廻り、吐いて下して、ころげて……それでよく生きていたものだ」

正庵が、ぽろりと白状した。

「手前も、あれは、芝居臭いと……」

「症状は、なにも出ていなかったのだろう」

「仰せの通りで……ただ、当人が痛いの、苦しいのと……」

「娘もか……」

「おさちさんは、胸がさし込むようだと……」

宗太郎が笑い出した。

「薬は何を飲ませた」

「毒きのことといったそうだな」

正庵が首をちぢめた。

「とりあえず、腹痛を止めようと……」

「二人はすぐに飲んだか」

「今は吐きそうだから、おさまってからと申しまして……」

宗太郎がうなずいた。

「今日、使が来るかも知れない。適当に調子を合せておいてくれ。腹の掃除をして来たから、おさまったら重湯でも飲むようにと」

「心得ましてございます」

せめて茶でもというのを断って、宗太郎が玄関を出て、東吾と川っぷちを団子坂へ向った。

「仮病だったのか」

いささか憮然として東吾がいい、宗太郎がうなずいた。

「そのようですね」

「なんでまた……」

「おしながいったじゃありませんか。いやがらせだと……」

「性質《たち》が悪すぎるな」

「おさちは板前をくどいて、ふられたんじゃありませんかね」

「挨拶の口もきけないような女が、くどくか」

「東吾さんらしくもないですよ。くどくのは言葉だけじゃありません」

東吾が破顔した。

「よし、長助に近所の噂を聞いてもらおう」

宗太郎が片目をつぶった。

「賭けませんか」

おせん母娘は金波楼を出て行くと宗太郎はいった。

「そして、金波楼は潰れますよ」

「おぬしは、商売の診立てまでするのか」

当ったら「宮川」の鰻を麻生家のみんなの分だけ届けることといい、宗太郎は夕映えの空へ向って楽しそうな笑い声を立てた。

長助が今戸界隈の聞き込みをやり、おさちが板前の新助につきまとい、夫婦になるとさわいだあげく、急に新助の悪口をふれて廻っていたというのは、金波楼の奉公人も近所の者もみんな知っていた。

「ふられたんですよ。新助さんにはおしなちゃんというものがあるんですから。器量自慢の他に、なんの取りえもない娘なんぞ、気のきいた男は相手にしません」

おさちをくどいてものにした男は少くないが、誰一人、本気で夫婦になろうといった者はなく、

「みんな適当に遊んで、適当に逃げちまうそうで、考えてみるとかわいそうな娘という

気もしますが……」

　ちょっとつき合った分にはいい女でも、まともな挨拶も出来ず、怠け者ですぐくたびれるというのでは女房には向かない。

　大川端の「かわせみ」へ報告に来て、長助はしきりに、ぼんのくぼに手をやった。

　次の月の終り、江戸の人々は今戸の金波楼が店を閉めたという噂を瓦版で知った。

「働き者のお内儀さんが、怠け者の旦那に愛想を尽かして三下り半を取って去ったそうだが、それから一カ月足らずで店じまいとは、金波楼も福の神を取り逃がしたようなものだ」

　とみんなが口を揃えているという話を長助から聞いて、東吾は紙入れの中の金を数えた。

「宮川」の鰻ぐらい、たいしたことはないと思いながら、念入りにおさちの脈ばかり取っていた宗太郎の恰好が妙に忌々しい。

　江戸の町は煤竹《すすたけ》売りの声が賑やかになっていた。

「かわせみ」も年越しの支度に忙しい。

　そんな或る日、東吾は長助を誘って「宮川」で鰻を食べ、大量の蒲焼を本所の麻生家へ届けてくれるよう注文した。

　大川の上を、霰まじりの雨が降っている。

初出「オール讀物」平成9年3月号〜11月号
（5月号をのぞく）
単行本　平成10年3月　文藝春秋刊

文春文庫

春《はる》の高瀬舟《たかせぶね》　御宿《おんやど》かわせみ24

定価はカバーに表示してあります

2001年3月10日　第1刷
2023年6月30日　第15刷

著　者　平岩《ひらいわ》弓枝《ゆみえ》
発行者　大沼貴之
発行所　株式会社 文藝春秋

東京都千代田区紀尾井町3-23　〒102-8008
TEL 03・3265・1211㈹
文藝春秋ホームページ　http://www.bunshun.co.jp

落丁、乱丁本は、お手数ですが小社製作部宛お送り下さい。送料小社負担でお取替致します。

印刷製本・凸版印刷
Printed in Japan
ISBN978-4-16-716873-5

（　）内は解説者。品切の節はご容赦下さい。

平岩弓枝
鏨師《たがねし》
無銘の古刀に名匠の偽銘を切る鏨師と、それを見破る刀剣鑑定家。火花を散らす厳しい世界をしっとりと描いた直木賞受賞作「鏨師」のほか、芸の世界に材を得た初期短篇集。（伊東昌輝）
ひ-1-109

平岩弓枝
秋色（上下）
有名建築家と京都の名家出身の妻、この華麗なる夫婦の実態は……。シドニー、麻布、銀座、奈良、京都、伊豆山と舞台を移して、華やかに、時におそろしく展開される人間模様。
ひ-1-126

平岩弓枝
花影の花
大石内蔵助の妻
大石内蔵助の妻の視点から描いた平岩弓枝版忠臣蔵。華々しく散った夫の陰で、期待に押しつぶされる息子とひたむきに生きた妻。家族小説の名手による感涙作。吉川英治文学賞受賞作。
ひ-1-129

平岩弓枝
御宿かわせみ
「初春の客」「花冷え」「卯の花匂う」「秋の蛍」「倉の中」「師走の客」「江戸は雪」「玉屋の紅」の全八篇を収録。江戸大川端の小さな旅籠「かわせみ」を舞台とした人情捕物帳シリーズ第一弾。
ひ-1-201

平岩弓枝
江戸の子守唄
御宿かわせみ2
表題作ほか、「お役者松」「迷子石」「幼なじみ」「宵節句」「ほととぎす啼く」「七夕の客」「王子の滝」の全八篇を収録。四季の風物を背景に、下町情緒ゆたかに繰りひろげられる人気捕物帳。
ひ-1-202

平岩弓枝
水郷から来た女
御宿かわせみ3
表題作ほか、「秋の七福神」「江戸の初春」「湯の宿」「桐の花散る」「風鈴が切れた」「女がひとり」「夏の夜ばなし」「女主人殺人事件」の全九篇。旅籠の女主人るいと恋人で剣の達人・東吾の活躍。
ひ-1-203

平岩弓枝
山茶花《さざんか》は見た
御宿かわせみ4
表題作ほか、「女難剣難」「江戸の怪猫」「鴉を飼う女」「鬼女」「ぼてふり安」「人は見かけに」「夕涼み殺人事件」の全八篇。女主人るい、恋人の東吾とその親友・畝源三郎が江戸の悪にいどむ。
ひ-1-204

文春文庫　平岩弓枝の本

（　）内は解説者。品切の節はご容赦下さい。

平岩弓枝
幽霊殺し
御宿かわせみ5

表題作ほか、「恋ふたたび」「奥女中の死」「川のほとり」「源三郎の恋」「秋色佃島」「三つ橋渡った」の全七篇。江戸の風物と人情、そして「かわせみ」の女主人るいと恋人の東吾の色模様も描く。

ひ-1-205

平岩弓枝
狐の嫁入り
御宿かわせみ6

表題作ほか、「師走の月」「迎春忍川」「梅一輪」「千鳥が啼いた」「子はかすがい」の全六篇を収録。美人で涙もろい女主人るい、恋人の東吾、幼なじみの同心・畝源三郎の名トリオの活躍。

ひ-1-206

平岩弓枝
酸漿《ほおずき》は殺しの口笛
御宿かわせみ7

表題作ほか、「春色大川端」「玉菊燈籠の女」「能役者、清大夫」「冬の月」「雪の朝」の全六篇を収録。おなじみの人物を縦横に活躍させて、江戸の風物と人情を豊かにうたいあげる。

ひ-1-207

平岩弓枝
白萩屋敷の月
御宿かわせみ8

表題作ほか、天野宗太郎が初登場する「美男の医者」「恋娘」「絵馬の文字」「水戸の梅」「持参嫁」「幽霊亭の女」「藤屋の火事」の全八篇。ご存じ〝かわせみ〟の面々が大活躍する人情捕物帳。

ひ-1-208

平岩弓枝
一両二分の女
御宿かわせみ9

表題作ほか、「むかし昔の」「黄菊白菊」「猫屋敷の怪」「藍染川」「美人の女中」「白藤検校の娘」「川越から来た女」の全八篇。江戸の四季を背景に、人間模様を情緒豊かに描く人気シリーズ。

ひ-1-209

平岩弓枝
閻魔まいり
御宿かわせみ10

表題作ほか、「蛍沢の怨霊」「金魚の怪」「露月町・白菊蕎麦」「源三郎祝言」「橋づくし」「星の降る夜」「蜘蛛の糸」の全八篇収録。小さな旅籠を舞台にした、江戸情緒あふれる人情捕物帳。

ひ-1-210

平岩弓枝
二十六夜待《にじゅうろくやまち》の殺人
御宿かわせみ11

表題作ほか、「神霊師・於とね」「女同士」「牡丹屋敷の人々」「源三郎子守歌」「犬の話」「虫の音」「錦秋中仙道」の全八篇。今日も〝かわせみ〟の人々の推理が冴えわたる好評シリーズ。

ひ-1-211

（　）内は解説者。品切の節はご容赦下さい。

平岩弓枝
夜鴉《よがらす》おきん
御宿かわせみ12

江戸に押込み強盗が続発、「かわせみ」へ届けられた三味線流しおきんの結び文が解決の糸口となる。他に名品と評判の「岸和田の姫」「息子」「源太郎誕生」など全八篇の大好評シリーズ。

ひ-1-212

平岩弓枝
鬼の面
御宿かわせみ13

節分の日の殺人、現場から鬼の面をつけた男が逃げて行った。表題作の他「麻布の秋」「忠三郎転生」「春の寺」など全七篇。大川端の御宿「かわせみ」の面々による人情捕物帳。（山本容朗）

ひ-1-213

平岩弓枝
神かくし
御宿かわせみ14

神田界隈で女の行方知れずが続出する。神かくしはとかく色恋のつじつまあわせに使われるというが……東吾の勘がまたも冴える。御宿「かわせみ」の面々がおくる人情捕物帳全八篇。

ひ-1-214

平岩弓枝
恋文心中
御宿かわせみ15

大名家の御後室が恋文を盗まれ脅される。八丁堀育ちの血が騒ぎ、東吾がまたひと肌脱ぐも……。表題作ほか、るいと東吾が晴れて夫婦となる「祝言」「雪女郎」「わかれ橋」など全八篇収録。

ひ-1-215

平岩弓枝
八丁堀の湯屋
御宿かわせみ16

八丁堀の湯屋には女湯にも刀掛がある、という八丁堀七不思議の一つが悲劇を招く。表題作ほか、「ひゆたらり」「びいどろ正月」「煙草屋小町」など全八篇。大好評の人情捕物帳シリーズ。

ひ-1-216

平岩弓枝
雨月
御宿かわせみ17

生き別れの兄を探す男が、「かわせみ」の軒先で雨宿りをしていた。兄弟は再会を果たすも、雨の十三夜に……。表題作ほか「尾花茶屋の娘」「春の鬼」「百千鳥の琴」など全八篇を収録。

ひ-1-217

平岩弓枝
秘曲
御宿かわせみ18

能楽師・鷺流宗家に伝わる一子相伝の秘曲を継承した美少女に魔の手が迫る。事件は解決をみるも、自分の隠し子らしき男児が現われ、東吾は動揺する。「かわせみ」ファン必読の一冊！

ひ-1-218